ANTHOLOGIE
DE LA POÉSIE FRANÇAISE
de Villon à Verlaine

Dans la même collection :

ALLAIS, Plaisirs d'humour.
ANDERSEN, L'Ombre et autres contes / Le Vaillant Soldat de plomb, la petite sirène et autres contes.
ARISTOPHANE, La Paix.
BALZAC, Adieu / Le Chef-d'œuvre inconnu / La Maison du Chat-qui-pelote / Les Secrets de la princesse de Cadignan / La Vendetta / Sarrasine / L'Élixir de longue vie, *précédé de* El Verdugo.
BARBEY D'AUREVILLY, Le Plus Bel Amour de Don Juan *précédé de* Le Rideau cramoisi.
BIERCE, Ce qui se passa sur le pont de Owl Creek.
BLIXEN, La Soirée d'Elseneur
CHAMISSO, L'Étrange Histoire de Peter Schlemihl.
CHARLES D'ORLÉANS, L'Écolier de Mélancolie.
CHRISTIE, Les Plans du sous-marin.
COLETTE, Les Vrilles de la vigne / La Ronde des bêtes / Gribiche.
COLOMBEL, Lettre à Mathilde sur Jean-Paul Sartre.
DIDEROT, Supplément au Voyage de Bougainville / Lettre sur les aveugles / Le Neveu de Rameau / Regrets sur ma vieille robe de chambre.
FLAUBERT, Un cœur simple / Novembre.
GAUTIER, Arria Marcella.
HOFFMANN, Mademoiselle de Scudéry.
HUGO, Claude Gueux / Légende du beau Pécopin et de la belle Bauldour.
JARRY, Ubu roi.
LABICHE, La Cagnotte.
LE FANU, Carmilla.
LA FAYETTE (Mme de) La Princesse de Montpensier *suivi de* La Comtesse de Tende.
LA FONTAINE, Fables (anthologie).
LEBLANC, L'Arrestation d'Arsène Lupin / Le Cabochon d'émeraude *précédé de* L'Homme à la peau de bique.
LUCIEN, Philosophes à vendre.
MARIE DE FRANCE, Le Lai de Lanval.
MAUPASSANT, La Parure / Le Horla / Une partie de campagne / En famille et autres textes.
MÉRIMÉE, La Vénus d'Île / Les Âmes du purgatoire / La Double Méprise.
NERVAL, La Main enchantée / Aurélia / Sylvie.
PERRAULT, Contes en prose.
PLATON, Apologie de Socrate.
PLUTARQUE, Vie d'Alcibiade.
RACINE, Les Plaideurs.
RENARD, Poil de Carotte.
ROUSSEAU, Discours sur les sciences et les arts.
SCHWOB, Le Roi au masque d'or.
SHAKESPEARE, Henry V.
SIMENON, Le Crime du Malgracieux.
STEVENSON, L'Étrange Cas du Dr Jekyll et de Mr Hyde.
SUÉTONE, Vie de Néron.
TCHEKHOV, La Steppe.
TOURGUENIEV, Le Journal d'un homme de trop.
VIAN, Blues pour un chat noir.
VILLIERS DE L'ISLE ADAM, Véra et autres contes cruels
VOLTAIRE, La Princesse de Babylone / Micromégas.
WILDE, Le Portrait de M. W. H. / Le Prince heureux et autres contes.
XXX, Chansons d'amour du Moyen Âge / Le Jugement de Renart / La Mort de Roland / Anthologie de la poésie française de Villon à Verlaine / Merlin l'Enchanteur / Lettres portugaises.
ZOLA, Jacques Damour *suivi de* Le Capitaine Burle / Nantas *suivi de* Madame Sourdis.
ZWEIG, Les Prodiges de la vie / Printemps au Prater.

Anthologie de la poésie française

de Villon à Verlaine

Présentation et notes d'Annie Collognat-Barès

LE LIVRE DE POCHE

ISBN : 978-2-253-14501-1 - 1re publication - LGF

PRÉSENTATION

Ces « choses qui chantent dans la tête,
alors que la mémoire est absente ».
(Verlaine)

« ... toutes ces choses des poètes –
moi j'appelle cela du printemps. »
(Rimbaud)

Au commencement, l'homme vivait dans un Jardin. Fruits et fleurs à profusion. Pour retrouver le Paradis perdu des origines, il a dû se faire jardinier. Pour rendre moins grave l'insoutenable légèreté de l'être, il s'est fait poète. Car on on sait depuis Platon que le Poète est « chose légère », « ailée » comme un papillon ou un oiseau, « sacrée » comme un prophète au délire inspiré[1].

Parole de poète à un jardinier : les fleurs du langage demandent bien plus de soins qu'on ne pense.

« Antoine, de nous deux, tu crois donc, je le vois,
Que le plus occupé dans ce jardin, c'est toi.
Oh ! que tu changerais d'avis et de langage,
Si, deux jours seulement, libre du jardinage,
Tout à coup devenu poète et bel esprit,
Tu t'allais engager à polir un écrit
Qui dît, sans s'avilir, les plus petites choses,
Fît des plus secs chardons des œillets et des roses[2]... »

Pourquoi donc se donner tant de peine ? L'homme ne

1. Platon, *Ion*, 531 d : « Le poète est chose légère, ailée, sacrée, et il ne peut créer avant de sentir l'inspiration, d'être hors de lui et de perdre l'usage de sa raison. » 2. Boileau à son jardinier Antoine, *Épître XI*.

pourrait-il vivre sans les roses de la poésie ? Réponse d'un autre illustre jardinier des lettres françaises : « On supprimerait les fleurs, le monde n'en souffrirait pas matériellement ; qui voudrait cependant qu'il n'y eût plus de fleurs ? Je renoncerais plutôt aux pommes de terre qu'aux roses, et je crois qu'il n'y a qu'un utilitaire au monde capable d'arracher une plate-bande de tulipes pour y planter des choux[1]. »

À nous, promeneurs en ces jardins, d'y découvrir les plus beaux bouquets. Anthologie, florilège, que le mot soit d'origine grecque ou latine, il est donc invitation à cueillir les fleurs écloses au fil du temps et des plumes. Ici le jardin sera modeste, mais ses promenades s'offrent comme une petite collection, un « recueil » d'élection qui a choisi de réunir les poèmes les plus connus de la littérature française. À connaître, ou plus sûrement à reconnaître, pour le plaisir d'entendre ces vers « qui chantent dans la tête, alors que la mémoire est absente », selon le vœu de Verlaine pour ses *Ariettes oubliées*[2]. À nous, lecteurs, d'y sentir le parfum du « printemps », celui qui est resté dans les pages des cahiers de récitation : c'est la grâce que pourrait nous souhaiter un poète de seize ans[3].

Les jardiniers que l'on va y rencontrer[4] sont ceux qui ont fait fleurir la langue française pratiquement de ses origines (Rutebeuf, XIIIe siècle) jusqu'à la fin du XIXe siècle (Laforgue), dans le cadre d'un art poétique codifié, avant qu'elle ne soit engagée dans l'aventure moderne d'une écriture libérée de tout cadre, y compris celui de la page, comme y invite déjà Mallarmé. « Ce à quoi nous devons viser surtout est que, dans le poème, les mots – qui sont déjà assez eux pour ne plus recevoir d'impression du dehors – se reflètent les uns sur les autres jusqu'à paraître ne plus avoir leur

---

1. Théophile Gautier, Préface de *Mademoiselle de Maupin*. **2.** Verlaine, *Ariettes oubliées*, titre de la première section de *Romances sans paroles* (voir p. 99). **3.** Rimbaud, *Lettre à Banville* (24 mai 1870) : « Et voici que je me suis mis, enfant touché par le doigt de la Muse, – pardon si c'est banal, – à dire mes bonnes croyances, mes espérances, mes sensations, toutes ces choses des poètes – moi j'appelle cela du printemps. » **4.** Les poèmes sont présentés dans un ordre chronologique selon la date de naissance de leurs auteurs.

couleur propre, mais n'être que les transitions d'une gamme[1]. »

Malgré leur grande diversité d'époque, d'origine et de formation comme de sensibilité, ils paraissent unis par ces « affinités électives » que leur a conférées le statut même de créateur d'art, artiste et artisan. Car est « poète » celui qui « fabrique » le langage, selon l'étymologie du mot en grec[2] : même pour celui que la Muse inspire, il ne saurait y avoir de honte à reconnaître le dur « travail » – au sens même d'un accouchement parfois difficile – de la création. Au bout de l'effort, l'apparente simplicité d'une « petite musique » envoûtante, pour le plaisir du public mais aussi du « musicien » dont elle reste le bénéfice le plus sûr.

« Car, vois-tu bien, la personne rimante,
Qui au jardin de son sens la rime ente,
Si elle n'a des biens en rimoyant,
Elle prendra plaisir en rime oyant[3]. »

Parmi ces « hommes de l'art », beaucoup de « mauvais garçons », des dandys et... quelques femmes ! Alors que, pourtant, elles jouent un rôle capital en tant que Muses « dans l'ombre » des grands maîtres qu'elles inspirent, les femmes sont ici très peu présentes (trois seulement) du côté de la création ; cependant les fragments de leur discours amoureux ont le mérite de faire entendre des voix plus discrètes (Christine de Pisan, Louise Labé, Marceline Desbordes-Valmore).

Mauvais garçons, dans plusieurs sens du terme : de Villon, le mécréant qui « sent la corde » du gibet, à Rimbaud, l'adolescent fugueur, en passant par tous ceux qui dilapident la fortune familiale dans la débauche d'une vie de bohème peu recommandable (Musset, Baudelaire, Corbière), épuisés par l'alcool (Verlaine, Cros) ou par la folie (Nerval), ils ne sont pas toujours « les meilleurs fils du monde », même s'ils passent pour les enfants prodiges de la Muse ! Il faut dire cependant qu'ils retirent de cette sulfureuse réputation le prestige très envié de « poètes maudits[4] » : provocants,

---

1. Mallarmé, *Lettre à Coppée*. Voir le fameux « donner un sens plus pur aux mots de la tribu » (p. 95). **2.** *Poiètès* (poète) vient du verbe *poiein*, faire, comme *poièsis* (poésie), action de faire. **3.** Marot, *Petite Épître au Roi* (1518). **4.** En 1883, Verlaine inaugure sa série des *Poètes maudits* par une étude consa-

volontiers provocateurs, ils nous séduisent aujourd'hui par leurs élans révoltés contre l'inertie et la bêtise de leur temps.

Beaucoup de rêveurs aussi : c'est le privilège du *voyant* qui touche à l'*inconnu*, selon les termes mêmes de Rimbaud[1].

Avec l'impertinente innocence d'un Pierrot naïf, né sous le signe de la lune et « peigneur de comètes[2] », le poète sait la fragilité de l'instant, mais il garde l'humour d'un élégant désespoir. Il n'est guère étonnant qu'il choisisse souvent « l'astre des nuits » pour confier sa peine ou... se moquer de lui-même !

« C'est à cause du clair de lune
Que j'assume ce masque nocturne[3] », confie Verlaine pour se pasticher lui-même.

Pierrot se force souvent à rire, car il est solitaire et se sent mal aimé, « exilé sur le sol au milieu des huées[4] » : fils d'une génération désabusée, désenchantée avant même d'avoir vécue, comme Musset, il se voudra « Jeune France », comme Gautier et Nerval, il guettera le souffle de la « modernité », comme Baudelaire. La complainte n'est jamais vulgaire jérémiade : tantôt enjouée, tantôt pathétique, la confidence se met en scène pour ne pas pleurer sans pudeur. Même dans les pièces les plus intimes, elle n'est pas un propos personnel, mais d'abord un art poétique.

Il serait donc vain de chercher à tout prix la réalité vécue sous l'aveu lyrique : avant les grands épanchements du romantisme, le *je* du poète est « en liberté surveillée », pour reprendre une expression appliquée aux auteurs de la fin du Moyen Âge[5]. Quant au lyrisme « inspiré » de Lamartine ou

---

crée à un inconnu disparu huit ans plus tôt : Tristan Corbière. C'est aussi cet ouvrage qui a fait découvrir Villon au grand public. **1.** Rimbaud, *Lettre à Paul Demeny* (15 mai 1871), voir p. 104. **2.** Corbière, voir p. 101. **3.** Verlaine, *Lunes* (1885) ; voir la *Ballade à la Lune de Musset* (p. 65) et la *Complainte de la lune en province* de Laforgue (p. 108). **4.** Baudelaire, *L'albatros*, voir p. 78. **5.** « Les poésies reflètent les préoccupations et les goûts du public plutôt que la personnalité intime de l'écrivain qui accepte les thèmes venus de la tradition ou nés des circonstances, et dont le rôle est de les parer des prestiges de la poésie. Rutebeuf travaille sur un matériel poétique hérité pour une bonne part en sorte que la recherche des idées et des thèmes importe moins que l'organisation nouvelle d'une matière littéraire traditionnelle. Ce sont des poètes en liberté surveillée. » (Jean Dufournet, *Rutebeuf, Poèmes de l'infortune et poèmes de la croisade*, Champion, 1979).

de Musset, il reste certainement plus soucieux de formes à imiter et d'effets à produire que de sincérité à reproduire. Même au « cœur » de la confession la plus pathétique, le poète n'oublie pas l'artifice de l'artiste. Ce qui ne signifie pas pour autant que l'art nous priverait de l'émotion.

Au premier rang des maîtres du Verbe poétique : Victor Hugo, dont la puissance créatrice a touché tous les domaines de l'art, au point d'en être devenu une forme de « monstre sacré ». Lui-même se sent placé par Dieu « au centre de tout comme un écho sonore » :

« Peuples ! Écoutez le poète !
Écoutez le rêveur sacré[1] ! »

Dans son œuvre, le langage, exalté comme « face de l'Invisible, aspect de l'Inconnu[1] », a la puissance primitive du chaos dont le vers ordonne la matière exubérante. « Jamais dans notre langue, le pouvoir de tout dire en vers exacts n'a été possédé et exercé à ce degré. Jusqu'à l'abus peut-être. Hugo est en quelque sorte trop fort pour ne pas abuser du pouvoir. Il transforme tout ce qu'il veut en poésie. Il trouve dans l'emploi de la forme poétique le moyen de communiquer une vie étrange à toute chose. », constate Paul Valéry[2].

Dans notre mémoire poétique d'aujourd'hui, cependant, Hugo semble supplanté par un autre alchimiste de génie : Baudelaire, celui qui a si bien su faire de l'or avec de la boue. Poète unique, qui aide à rouvrir les portes du Jardin des origines, car « le génie n'est que l'*enfance retrouvée* à volonté[3] ». Après lui, le travail poétique est à jamais enrichi de l'infinie résonance de ses harmonieuses correspondances. « C'est cet admirable, cet immortel instinct du Beau qui nous fait considérer la terre et ses spectacles comme un aperçu, comme une correspondance du Ciel. (...) Quand un poème exquis amène les larmes au bord des yeux, ces larmes ne sont pas la preuve d'un excès de jouissance, elles sont bien plutôt le témoignage d'une mélancolie irritée, d'une postulation des nerfs, d'une nature exilée dans l'imparfait et qui

---

1. Hugo, *« Ce siècle avait deux ans... »* (voir p. 51) et *Les Rayons et les Ombres, I.* **2.** Valéry, *Études littéraires.* **3.** Baudelaire, *Le Peintre de la vie moderne.*

voudrait s'emparer immédiatement, sur cette terre même, d'un paradis révélé[1] ».

Et c'est précisément un univers fait d'échos et de « correspondances » que dessinent tous ces fragments poétiques éparpillés dans un temps que la lecture abolit. Le « vent mauvais » emporte aussi bien les amis de Rutebeuf que les espérances de Verlaine[2] ; les oiseaux de la brise marine mallarméenne « sont ivres d'être parmi l'écume inconnue et les cieux », son cygne est exilé dans un « stérile hiver » comme l'albatros, « roi de l'azur » baudelairien ou le pélican de Musset « lassé d'un long voyage[3] ».

Chez tous : la conscience douloureuse de l'éphémère, même pour l'imprévoyante fourmi de la fable qui n'a pas vu passer l'été[4]. Soumis à la « mondaine inconstance » des empires, fussent-ils romains, on ne peut « deux fois naître » et les roses ne durent que « l'espace d'un matin[5] ». Jamais le temps ne suspend son vol : dans l'allée du jardin, le bonheur passe..., mais il a déjà fui[6] ! Il n'est guère surprenant que l'âme des poètes trouve aussi des moments et des paysages privilégiés qui « se correspondent » : le crépuscule et le rivage de l'Océan[7], que les Anciens plaçaient au bord de l'Inconnu, dans le mythique pays des Hespérides (à l'ouest, celui des nymphes du Soir). Images d'« occident », de la chute dans les ténèbres et dans les flots, car on « s'abîme » dans la mer et la nuit comme dans l'amour et la mort[8]. Invitation au partir, amarres larguées, vers tous les pays de Cocagne[9].

Et, bien sûr, l'amour, toujours l'amour, avec ses fugitives

---

1. Baudelaire, *Notes nouvelles sur Edgar Allan Poe.* 2. Rutebeuf, *Complainte* (p. 13) ; Verlaine, *Chanson d'automne* (p. 98). 3. Mallarmé, *Brise marine* (p. 92) et *« Le vierge, le vivace... »* (p. 93) ; Baudelaire, *L'albatros* (p. 78) ; Musset, *La Nuit de Mai* (p. 68). 4. La Fontaine, *La Cigale et la fourmi* (p. 37). 5. Du Bellay, *« Nouveau venu qui cherches Rome en Rome... »* (p. 24) ; Marot, *De soi-même* (p. 22) ; Malherbe, *Consolation à Monsieur du Périer* (p. 31). 6. Lamartine, *Le lac* (p. 43) ; Nerval, *Une allée du Luxembourg* (p. 63). 7. Heredia, *Soleil couchant* (p. 87) ; Lamartine, *L'Isolement* (p. 45) ; Hugo, *Choses du soir* (p. 60) ; Baudelaire, *Harmonie du soir* (p. 77) ; Hugo, *Oceano nox* (p. 58). 8. Marbeuf, *« Et la mer et l'amour... »* (p. 33) ; Baudelaire, *L'Homme et la mer* (p. 79) ; *La Mort des amants* (p. 84). 9. Baudelaire, *L'Invitation au voyage* (p. 82) ; Sully Prudhomme, *Le long du quai* (p. 85) ; Heredia, *Les Conquérants* (p. 86) ; Mallarmé, *Brise marine* (p. 92) ; Rimbaud, *Le bateau ivre* (p. 104).

visions de l'Amante idéale, la seule à éclaircir « la nuit profonde d'un seul regard », « la fée au chapeau de clarté », au « nom doux et sonore comme ceux des aimés que la Vie exila[1] ».

Et une seule leçon : cueillir le jour. Le fameux *carpe diem* dont Ronsard et tant d'autres ont emprunté la métaphore au poète latin Horace[2] :

« Cueillez, cueillez votre jeunesse[3] »,
« Aimons donc, aimons donc ! de l'heure fugitive
Hâtons-nous, jouissons[4] ! »

Voilà donc pourquoi il se trouve toujours quelque poète « choisi » pour composer des bouquets, un heureux destinataire pour se les voir offrir et un lecteur (ou un auditeur) nostalgique pour en sentir encore le parfum. Remède, cadeau, miroir, l'objet poétique est un don que chacun reçoit à sa façon.

Pour celui/celle qui le compose, il apaise les tumultes du cœur et de l'âme en exorcisant son mal par l'acte créateur, car « l'ivresse de l'Art est plus apte que toute autre à voiler les terreurs du gouffre[5] ».

« Quand j'aurai fait ces vers, quand tous les auront lus,
Mon mal vulgarisé ne me poursuivra plus[6]. »

Pour celui/celle à qui il est offert, il est gage de renom et passeport pour l'éternité, comme le rappelle Ronsard à la dédaigneuse Hélène ou le vieux Corneille à sa volage Marquise[7].

Pour celui/celle qui le découvre, le lit ou l'écoute, il réfléchit l'image d'un autre soi-même qu'on ne soupçonnait pas : « Ma vie est la vôtre, votre vie est la mienne, vous vivez ce que je vis ; la destinée est une. Prenez-donc ce miroir et regardez-vous-y. (...) Hélas ! Quand je vous parle de moi, je vous parle de vous. Comment ne le sentez-vous pas ? Ah ! insensé, qui crois que je ne suis pas toi[8] ! ».

---

1. Nerval, *Une allée du Luxembourg* (p. 63) ; Mallarmé, *Apparition* (p. 91) ; Verlaine, *Mon rêve familier* (p. 98). **2.** Horace, *Odes* (I, 11) ; citation récemment remise à la mode par le film de Peter Weir *Le Cercle des poètes disparus* (1989). **3.** Ronsard, *« Mignonne, allons voir si la rose... »* (p. 26). **4.** Lamartine, *Le lac* (p. 43). **5.** Baudelaire, *Une mort héroïque.* **6.** Cros, *Le coffret de santal, « Lento »* (voir p. 89). **7.** Ronsard, *« Quand vous serez bien vieille... »* (p. 27) ; Corneille, *Stances à Marquise* (p. 35). **8.** Hugo, Préface des *Contemplations.*

Au Jardin d'Eden, il ne faut pas manquer la correspondance du Paradis : couleur, parfum et « de la musique avant toute chose[1] ». « La *suggestion* est l'instant où la poésie, gouvernée par l'intelligence, libère les forces magiques de l'âme et émet un *rayonnement* auquel le lecteur ne peut se soustraire, même s'il « n'y comprend rien ». Ces *rayonnements* conduisant à la *suggestion* proviennent essentiellement des puissances sensibles de la langue, du rythme, des sons, des tonalités[2]. »

La dernière parole – poétique – revient au « jardinier » Boileau pour inviter le promeneur à « aller follement, égaré dans les nues... prendre dans ce jardin la lune avec les dents[3] ».

À Yvette, septembre 1998.

---

1. Verlaine, *Art poétique* (p. 96). 2. Hugo Friedrich, *Structure de la poésie moderne*, « Médiations », Denoël, 1976. 3. Boileau, *Épître XI*.

RUTEBEUF

Deuxième moitié du XIIIe siècle

« Que sont mes amis devenus ? »

« Savez-vous comment je m'arrange ?
L'espérance du lendemain,
Ce sont mes fêtes. »
(Mariage Rutebeuf)

Ainsi se consolait un humble trouvère-jongleur accablé par les vicissitudes d'une vie de misère. Peu importe que ces vers célèbres, tirés d'une longue complainte mélancolique, ne soient pas le reflet exact d'une réalité vécue, ils restent les premiers à exprimer en langue d'oïl une forme de lyrisme personnel tempéré d'humour, qui annonce les confidences de Villon et de bien d'autres poètes. Quand la faillite du bonheur se fait dure à supporter, les amis aussi viennent à « faillir » : la confidence pourrait dater des années 1261-1262 ; elle a été mise en musique par Léo Ferré.

1 Les maux ne savent seuls venir :
Tout ce qui devait m'advenir
Ainsi est advenu.
Que sont mes amis devenus
5 Que j'avais de si près tenus
Et tant aimés ?
Je crois qu'ils sont trop clair semés :

Ils ne furent pas bien cultivés[1]
Ainsi ont-ils failli[2].
10 De tels amis m'ont mal bailli[3],
Car jamais, tant que Dieu m'a assailli[4]
Par maint côté,
Je n'en vis un seul en mon *osté*[5] :
Je crois, le vent me les a ôtés.
15 L'amour est morte[6] :
Ce sont amis que vent emporte,
Et il ventait devant ma porte
Ainsi les emporta,
Car jamais aucun ne me réconforta
20 Ni de son bien rien ne m'apporta.

Complainte Rutebeuf, vers 107-126
orthographe modernisée

---

1. Le texte original porte *femé*, participe passé passif d'un verbe qui signifie en ancien français cultiver (la terre), ici employé au sens d'une métaphore agricole : les amis sont comme un champ « trop clair (mal) semé » que l'on doit « fumer » pour qu'il produise sa récolte. **2.** M'ont fait défaut. **3.** Mal traité. **4.** M'a mis à l'épreuve. **5.** En mon « logis » (*osté* a donné « hôtel »). **6.** L'*amor* en ancien français (du latin *amor*) est du féminin : il désigne ici le sentiment d'affection pour les amis.

CHRISTINE DE PISAN
vers 1364-1431

« Je ne sais comment je dure... »

Christine de Pisan est la première femme à vivre de sa plume : en marge d'une œuvre de commande écrite pour un public aristocratique, quelques rondeaux laissent s'échapper la confidence personnelle. « Soit blessure, soit bonheur, il me prend parfois l'envie de m'abîmer... c'est qu'il n'y a plus de place pour moi nulle part, même pas dans la mort. » (Roland Barthes, Fragments d'un discours amoureux, *Seuil, 1977).*

1 Je ne sais comment je dure,
Car mon dolent[1] cœur fond d'ire[2]
Et plaindre n'ose, ni dire
Ma doleureuse[3] aventure,

5 Ma dolente vie obscure[4].
Rien, hors la mort ne désire ;
Je ne sais comment je dure.

Et me faut, par couverture[5],
Chanter que[6] mon cœur soupire
10 Et faire semblant de rire ;
Mais Dieu sait ce que j'endure.
Je ne sais comment je dure.

Rondeaux
orthographe modernisée

---

1. Souffrant. 2. Chagrin. 3. Douloureuse (du latin *dolor*, douleur). 4. Sombre, triste. 5. Par dissimulation. 6. Pour « ce que ».

CHARLES D'ORLÉANS
1394-1465

« Le temps a laissé son manteau... »

*L'apparente simplicité de ce « rondel » qui chante l'arrivée du printemps en filant la métaphore du vêtement a gagné à Charles d'Orléans, le prince-poète, une place de choix dans toutes les anthologies ; elle lui a valu d'être mis en musique par Claude Debussy (*Ballades, *1910). Avec la mélodie de son refrain, le poème esquisse un pas de danse entraînant, sur le rythme d'une chanson.*

1 Le temps a laissé son manteau
De vent, de froidure et de pluie,
Et s'est vêtu de broderie
De soleil luisant clair et beau[1].

5 Il n'y a bête ni oiseau
Qu'en son jargon ne chante ou crie :

Le temps a laissé son manteau...

Rivière, fontaine et ruisseau
Portent, en livrée jolie[2],
10 Gouttes d'argent d'orfèvrerie[3] ;
Chacun s'habille de nouveau[4].

Le temps a laissé son manteau...

Rondeau
orthographe modernisée

---

1. Brillant avec clarté et beauté. **2.** La livrée est un habit aux couleurs du seigneur. **3.** Produit du travail d'un orfèvre (celui qui fabrique des bijoux d'or). **4.** Chacun s'habille de neuf.

FRANÇOIS VILLON
1431 - après 1463

Ballade des Dames du Temps Jadis

« Mauvais garçon », gibier de potence miraculeusement gracié, François Villon a gagné la célébrité du poète maudit par excellence. Le Testament, *son œuvre majeure commencée en 1461, comporte plusieurs ballades en forme de bilan pour une vie fort mouvementée : la plus connue est celle qui évoque non sans humour la fuite du temps et les plaisirs éphémères. La beauté ne dure qu'un moment : un air de nostalgie dont Ronsard et les romantiques ne manqueront pas de faire bon usage.*

1 Dites-moi où, n'[1]en quel pays
Est Flora la belle Romaine,
Archipiades[2], ne Thaïs[3]
Qui fut sa cousine germaine,
5 Écho, parlant quand bruit on mène
Dessus rivière ou sur étang,
Qui beauté eut trop plus qu'humaine ?
Mais où sont les neiges d'antan ?

Où est la très sage Héloïs[4],

---

1. *N'* pour ni (en français moderne on dirait et). **2.** Archipiades pour Alcibiade (on prenait alors le brillant Athénien du Vᵉ siècle avant J.-C. pour une femme). **3.** Célèbre courtisane athénienne du IVᵉ siècle avant J.-C. qui séduisit Alexandre le Grand. **4.** Héloïse fut l'élève d'Abélard (1079-1142), qui s'éprit d'elle (il fut émasculé sur l'ordre du chanoine Fulbert, oncle de la jeune fille).

10 Pour qui fut châtré et puis moine
Pierre Abélard à Saint-Denis ?
Pour son amour eut cette essoyne[1].
Semblablement, où est la royne[2]
Qui commanda que Buridan
15 Fût jeté en un sac en Seine ?
Mais où sont les neiges d'antan ?

La reine Blanche comme lis[3]
Qui chantait à voix de seraine[4],
Berthe au grand pied, Bietris, Alis[5],
20 Haremburgis[6] qui tint le Maine,
Et Jeanne, la bonne Lorraine
Qu'Anglais brûlèrent à Rouen ;
Où sont-ils[7], où, Vierge souveraine ?
Mais où sont les neiges d'antan ?

25 Prince, n'enquérez de semaine
Où elles sont, ni de cet an,
Qu'à ce refrain ne vous remaine[8] :
Mais où sont les neiges d'antan ?

Ballade (orthographe modernisée),
Le Testament

L'Épitaphe Villon dite Ballade des pendus

En 1462, Villon est arrêté au cours d'une rixe à Paris : condamné à la pendaison, il ne doit son salut qu'à la procédure d'appel introduite devant le Parlement qui casse la sentence de mort le 5 janvier 1463. La fameuse ballade dite « des pendus » reste marquée par la hantise du châtiment

---

1. Épreuve. **2.** La reine Marguerite de Bourgogne (1290-1315), femme de Louis X le Hutin (allusion à la tragique affaire de la tour de Nesle). **3.** Peut-être Blanche de Castille (1188-1252), mère de Saint Louis. **4.** Sirène. **5.** Berthe (morte en 783), mère de Charlemagne ; Béatrix et Alix restent sans précision. **6.** Fille d'un comte du Maine à la fin du XIIe siècle. **7.** *Ils* pour elles. **8.** Ne demandez ni cette semaine ni cette année (donc jamais) où elles sont, sans que je vous ramène à ce refrain.

tout en développant une tendresse macabre née de la solidarité dans le supplice comme dans la délinquance : elle se présente dans les manuscrits originaux comme une épitaphe à inscrire sur la potence du gibet.

1 Frères humains qui après nous vivez,
N'ayez les cœurs contre nous endurcis,
Car, si pitié de nous pauvres avez,
Dieu en aura plus tôt de vous mercis[1].
5 Vous nous voyez ci[2] attachés cinq, six :
Quant à la chair que trop avons nourrie,
Elle est piéça[3] dévorée et pourrie,
Et nous, les os, devenons cendre et poudre.
De notre mal personne ne s'en rie[4] ;
10 Mais priez Dieu que tous nous veuille absoudre !

Si frères vous clamons, pas n'en devez
Avoir dédain, quoique fûmes occis
Par justice. Toutefois, vous savez
Que tous hommes n'ont pas bon sens rassis[5] ;
15 Excusez-nous, puisque sommes transis[6],
Envers le fils de la Vierge Marie,
Que sa grâce ne soit pour nous tarie,
Nous préservant de l'infernale foudre.
Nous sommes morts, âme ne nous harie[7],
20 Mais priez Dieu que tous nous veuille absoudre !

La pluie nous a débués[8] et lavés,
Et le soleil desséchés et noircis ;
Pies, corbeaux, nous ont les yeux cavés[9],
Et arraché la barbe et les sourcils.
25 Jamais nul temps nous ne sommes assis ;
Puis çà, puis là, comme le vent varie,
À son plaisir sans cesser nous charrie,
Plus becquetés d'oiseaux que dés à coudre[10].

---

1. Miséricorde. **2.** Ici. **3.** Depuis une longue « pièce » de temps. **4.** Subjonctif de souhait : que personne ne s'en moque. **5.** Bien réfléchi. **6.** Trépassés. **7.** Subjonctif de souhait : que personne ne nous harcèle. **8.** Lessivés. **9.** Crevés. **10.** Nous recevons plus de coups de bec d'oiseaux que ne sont martelés des dés à coudre.

Ne soyez donc de notre confrérie ;
30 Mais priez Dieu que tous nous veuille absoudre !

Prince Jésus, qui sur tous a maistrie[1],
Garde qu'Enfer n'ait de nous[2] seigneurie :
À lui n'ayons que faire ni que soudre[3]
Hommes, ici n'a point de moquerie ;
35 Mais priez Dieu que tous nous veuille absoudre !

Poésies diverses
orthographe modernisée

---

1. Maîtrise (pouvoir). **2.** Sur nous. **3.** Avec lui n'ayons pas de compte à payer.

CLÉMENT MAROT
1496-1544

De sa grand'Amie
De soi-même

Un jour de Mardi gras (5 mars 1527), pendant un bal à la cour, Clément Marot noue un pacte d'« alliance de pensée » avec Anne d'Alençon, nièce de sa protectrice Marguerite d'Angoulême. Dès lors, selon la tradition courtoise, un long amour platonique unira le poète à sa « dame », jusqu'en 1538 ; plusieurs poèmes lui sont adressés, dont ce rondeau d'une charmante simplicité mélodieuse.

La fuite du temps, l'inexorable vieillesse : une méditation en forme de lieu commun pour bon nombre de poètes, passés et à venir, mais l'amertume sait aussi jouer de l'humour dans cette épigramme dédiée à l'insoutenable légèreté de l'être « soi-même ».

1 Dedans Paris, ville jolie,
Un jour passant mélancolie,

Je pris alliance nouvelle
À la plus gaie Damoiselle
5 Qui soit d'ici en Italie.

D'honnêteté elle est saisie,
Et crois (selon ma fantaisie)
Qu'il n'en est guère de plus belle
Dedans Paris.

10 Je ne la vous nommerai mie,
Sinon que c'est ma grand'Amie,
Car l'alliance se fit telle,
Par un doux baiser, que j'eus d'elle
Sans penser aucune infamie,
15 Dedans Paris.

Rondeaux,
L'Adolescence clémentine

1 Plus ne suis ce que j'ai été,
Et ne le saurais jamais être.
Mon beau printemps et mon été
Ont fait le saut par la fenêtre.

5 Amour[1], tu as été mon maître,
Je t'ai servi sur tous les dieux[2].
Ah si je pouvais deux fois naître,
Comme je te servirais mieux !

Épigrammes

1. Éros (Cupidon pour les Romains), fils d'Aphrodite (Vénus) est le dieu de l'Amour pour les poètes. **2.** Plus que tous les autres dieux.

JOACHIM DU BELLAY
1522-1560

« Heureux qui, comme Ulysse... »

Les cent quatre-vingt-onze sonnets des Regrets, *pour la plupart écrits en Italie et publiés en 1558, sont le bilan d'un désenchantement : amertume de l'« exilé » déçu par son séjour à Rome, vanité des ambitions, satire des mœurs romaines. C'est la nostalgie de son « petit pays » que chante ici le poète : ce mal du retour –* algos nostou *en grec –, Ulysse, « patron » de tous les aventuriers, l'a enduré pendant dix ans avant de revoir son île natale d'Ithaque ! « Ulysse pleurait, assis sur le rivage ; et, déchirant son cœur de sanglots, il regardait la mer indomptée » (Homère,* Odyssée, *chant V, vers 157-158).*

1 Heureux qui, comme Ulysse, a fait un beau voyage,
Ou comme cestuy-là[1] qui conquit la toison[2],
Et puis est retourné, plein d'usage[3] et raison,
Vivre entre ses parents le reste de son âge[4] !

5 Quand reverrai-je, hélas ! de mon petit village
Fumer la cheminée, et en quelle saison
Reverrai-je le clos[5] de ma pauvre maison,
Qui m'est une province et beaucoup davantage ?

1. Celui-là. **2.** Jason et ses marins, les Argonautes, partis conquérir la mythique Toison d'or en Colchide, sur le rivage de la mer Noire. **3.** Expérience. **4.** Vie. **5.** Enclos, jardin.

Plus me plaît le séjour qu'ont bâti mes aïeux,
10 Que des palais romains le front audacieux :
Plus que le marbre dur me plaît l'ardoise fine[1],

Plus mon Loire gaulois[2] que le Tibre latin[3],
Plus mon petit Liré[4] que le mont Palatin[5],
Et plus que l'air marin la douceur angevine.

Les Regrets

« Nouveau venu qui cherches Rome... »

Rome, la « Ville éternelle », qui fut maîtresse du monde antique, est encore à la Renaissance le carrefour politique de l'Europe. Les Antiquités de Rome *(1558) font de l'illustre cité un lieu privilégié pour méditer sur la fuite du temps et l'éphémère grandeur des empires humains. Son nom même devient ici refrain pour une litanie nostalgique.*

1 Nouveau venu qui cherches Rome en Rome
Et rien de Rome en Rome n'aperçois,
Ces vieux palais, ces vieux arcs que tu vois,
Et ces vieux murs, c'est ce que Rome on nomme.

5 Vois quel orgueil, quelle ruine, et comme
Celle qui mit le monde sous ses lois,
Pour dompter tout, se dompta quelquefois[6],
Et devint proie au temps, qui tout consomme.

Rome de Rome est le seul monument,
10 Et Rome Rome a vaincu seulement[7].
Le Tibre seul, qui vers la mer s'enfuit,

---

1. L'Anjou est une région productrice d'ardoise. **2.** Le nom des fleuves est masculin en latin. **3.** Rome a été construite sur les bords du fleuve Tibre. **4.** Village natal de Du Bellay. **5.** L'une des sept collines de Rome. **6.** Autrefois, un jour. **7.** C'est Rome seule qui a vaincu Rome.

Reste de Rome. Ô mondaine inconstance !
Ce qui est ferme est par le temps détruit,
Et ce qui fuit au temps fait résistance.

Les Antiquités de Rome

D'un vanneur de blé, aux vents

À côté de l'amertume des Regrets *et de la solennité des* Antiquités, *les* Jeux *rustiques (1558) développent le pittoresque gracieux de petits poèmes hérités de l'Antiquité, comme ces vœux « rustiques » adressés aux vents par un moissonneur-poète empli d'une gaieté familière. Une pièce charmante que Victor Hugo présentera comme une « vieille chanson » pour accompagner la quatrième ballade de son recueil* Odes et Ballades *(1822).*

1 À vous troupe légère[1],
Qui d'aile passagère
Par le monde volez,
Et d'un sifflant murmure
5 L'ombrageuse verdure
Doucement ébranlez,

J'offre ces violettes,
Ces lis et ces fleurettes,
Et ces roses ici,
10 Ces vermeillettes roses,
Tout fraîchement écloses,
Et ces œillets aussi.

De votre douce haleine
Éventez cette plaine,
15 Éventez ce séjour :
Cependant que j'ahanne[2]
À mon blé que je vanne[3]
À la chaleur du jour.

Divers jeux rustiques

---

1. Le poète s'adresse à la « troupe » des vents. **2.** Je travaille avec peine. **3.** Le vanneur trie la paille et le grain du blé en le secouant dans un grand panier plat (van).

PIERRE DE RONSARD
1524-1585

« Mignonne, allons voir si la rose... »

*Mise en musique, chantée, récitée par des générations d'écoliers, cette ode à Cassandre, fille d'un banquier italien idéalisée par le poète à l'imitation du grand maître Pétrarque, est depuis 1550 la plus célèbre invitation à jouir de l'instant. En illustration au credo universel des Épicuriens – le fameux « Carpe diem » (« Cueille le jour ») du poète latin Horace (*Odes*, I, 11, vers 8) –, une discrète méditation lyrique sur la fuite du temps enrichit ici le lieu commun philosophique par la métaphore poétique de la fleur fanée.*

1 Mignonne, allons voir si la rose
Qui ce matin avait déclose[1]
Sa robe de pourpre au Soleil,
A point perdu cette vêprée[2]
5 Les plis de sa robe pourprée,
Et son teint au vôtre pareil.

Las ! Voyez comme en peu d'espace,
Mignonne, elle a dessus la place,
Las ! las ! ses beautés laissé choir !
10 Ô vraiment marâtre Nature,
Puisqu'une telle fleur ne dure,
Que du matin jusques au soir !

---

1. Ouvert. **2.** Ce soir (*vesper* en latin).

Donc, si vous me croyez, mignonne,
Tandis que votre âge fleuronne
15 En sa plus verte nouveauté,
Cueillez, cueillez votre jeunesse :
Comme à cette fleur la vieillesse
Fera ternir votre beauté.

Odes, Livre I

« Quand vous serez bien vieille... »

Les leçons de cet art d'aimer se poursuivent avec Hélène, à qui Ronsard dédie plusieurs sonnets (1578). Dans la figure de cette demoiselle d'honneur de la reine Catherine de Médicis, le poète, mûri par l'âge (il a cinquante-quatre ans) et la renommée, rassemble les souvenirs des femmes aimées : l'hommage à la beauté et la méditation sur la mort sont aussi l'occasion de célébrer l'immortalité de la création poétique.

1 Quand vous serez bien vieille, au soir à la chandelle,
Assise auprès du feu, dévidant[1] et filant,
Direz chantant mes vers, en vous émerveillant :
« Ronsard me célébrait du temps que j'étais belle. »

5 Lors vous n'aurez servante oyant[2] telle nouvelle,
Déjà sous le labeur à demi sommeillant,
Qui au bruit de Ronsard[3] ne s'aille réveillant,
Bénissant votre nom de louange immortelle[4].

Je serai sous la terre, et fantôme sans os
10 Par les ombres myrteux[5] je prendrai mon repos ;
Vous serez au foyer une vieille accroupie,

---

1. Mettant le fil en écheveau à l'aide du dévidoir. 2. Entendant. 3. Une variante de 1584 porte « de mon nom ». 4. C'est Ronsard qui bénit un nom dont la louange est immortelle. 5. Les ombrages d'un bois de myrtes accueillaient aux Enfers les amoureux disparus, selon la tradition du poète latin Virgile.

Regrettant mon amour et votre fier dédain.
Vivez, si m'en croyez, n'attendez à demain :
Cueillez dès aujourd'hui les roses de la vie.

Sonnets pour Hélène

« Comme on voit sur la branche... »

Au printemps 1555, Ronsard abandonne l'altière Cassandre pour s'éprendre d'une « fleur angevine de quinze ans », Marie Dupin, modeste paysanne de Bourgueil. Les raffinements précieux se nuancent ici d'une émotion plus intime : le poète a appris la disparition de celle qu'il a sincèrement aimée et ses sonnets « Sur la mort de Marie » (1578) développent avec mélancolie l'inévitable image de la rose.

1 Comme on voit sur la branche au mois de mai la [rose,
En sa belle jeunesse, en sa première fleur,
Rendre le ciel jaloux de sa vive couleur,
Quand l'aube de ses pleurs au point du jour l'arrose ;

5 La grâce dans sa feuille, et l'amour se repose,
Embaumant les jardins et les arbres d'odeur ;
Mais, battue ou de pluie, ou d'excessive ardeur,
Languissante elle meurt, feuille à feuille déclose.

Ainsi en ta première et jeune nouveauté,
10 Quand la Terre et le Ciel honoraient ta beauté,
La Parque[1] t'a tuée, et cendre tu reposes.

Pour obsèques[2] reçois mes larmes et mes pleurs,
Ce vase plein de lait, ce panier plein de fleurs,
Afin que vif et mort ton corps ne soit que roses.

Le Second Livre des Amours de Marie

---

1. Les Anciens imaginaient les Parques comme trois vieilles fileuses tissant aux Enfers le fil de la vie des humains. **2.** Offrandes destinées à accompagner le mort dans l'au-delà.

LOUISE LABÉ
1526-1565

« Je vis, je meurs... »

Celle que l'on appelle « la Belle Cordière » – elle avait épousé un riche artisan en cordages de Lyon – revendique le plaisir des amours charnelles sans s'encombrer des pudeurs de son temps. En femme cultivée (elle lit le latin et l'italien, pratique la musique) et « libérée » (bonne écuyère, elle n'hésite pas à participer à des tournois en compagnie d'un frère maître d'armes), elle s'attire reproches et calomnies : depuis Genève, l'austère Calvin condamne sa conduite. À seize ans, elle aime un gentilhomme avec passion : il la quitte, elle souffre. Joies du cœur et du corps, mal d'amour, dont tout poète sait qu'« il ne dure qu'un moment ». La Phèdre de Racine en connaîtra le même tourment : « Je sentis tout mon corps et transir et brûler » (Phèdre, *1677, vers 276).*

1 Je vis, je meurs ; je me brûle et me noie.
J'ai chaud extrême en endurant froidure ;
La vie m'est et trop molle et trop dure.
J'ai grands ennuis[1] entremêlés de joie.

5 Tout à un coup je ris et je larmoie,
Et en plaisir maint grief[2] tourment j'endure ;
Mon bien s'en va, et à jamais il dure ;

1. Au sens fort de tourments. 2. Grave, pénible.

Tout en un coup, je sèche et je verdoie[1].

Ainsi Amour inconstamment me mène.
10 Et quand je pense avoir plus de douleur,
Sans y penser je me trouve hors de peine.

Puis quand je crois ma joie être certaine,
Et être au haut de mon désiré heur[2],
Il me remet en mon premier malheur.

Sonnets

---

1. Se dit des végétaux (plantes, arbres, herbe) qui donnent à l'œil une impression colorée à dominante verte. Ici employé au sens métaphorique d'une plante qui retrouve sa verdeur après avoir été desséchée. **2.** Bonheur.

FRANÇOIS DE MALHERBE
1555-1628

Consolation à Monsieur du Périer

« Enfin Malherbe vint », s'exclame Boileau dans son Art poétique *(1674) pour saluer le rôle de ce poète de cour reconnu et admiré comme une autorité dans l'histoire des lettres françaises. En rompant avec le maniérisme du baroque, il prépare les règles de ce qui va devenir la grande littérature « classique ». Lorsque l'un de ses amis, avocat au parlement d'Aix-en-Provence, perd sa fillette, Malherbe reprend le genre très prisé dans l'Antiquité latine de la « consolation » pour partager sa peine par l'écriture. Voici les premières strophes de ce long poème composé vers 1600 : l'émouvante évocation de la rose prématurément flétrie, à la mode ronsardienne, fait compter ces vers au rang des plus mélodieux de la poésie française.*

1 Ta douleur, du Périer, sera donc éternelle,
Et les tristes discours
Que te met en l'esprit l'amitié[1] paternelle
L'augmenteront toujours ?

5 Le malheur de ta fille au tombeau descendue
Par un commun trépas,
Est-ce quelque dédale, où ta raison perdue
Ne se retrouve pas ?

---

1. Affection.

Je sais de quels appas[1] son enfance était pleine,
10 Et n'ai pas entrepris,
Injurieux ami[2], de soulager ta peine
Avecque[3] son mépris.

Mais elle était du monde, où les plus belles choses
Ont le pire destin ;
15 Et rose elle a vécu ce que vivent les roses,
L'espace d'un matin.

Puis quand ainsi serait, que selon ta prière,
Elle aurait obtenu
D'avoir en cheveux blancs terminé sa carrière,
20 Qu'en fût-il advenu ?

Penses-tu que, plus vieille, en la maison céleste
Elle eût eu plus[4] d'accueil ?
Ou qu'elle eût moins senti la poussière funeste
Et les vers du cercueil ?

25 Non, non, mon du Périer, aussitôt que la Parque[5]
Ôte l'âme du corps,
L'âge s'évanouit au deçà de la barque[6],
Et ne suit point les morts.

Œuvres, « Consolation à Monsieur du Périer sur la mort de sa fille »

---

1. Charmes. **2.** En me comportant comme un ami qui blesse ou outrage. **3.** Pour « avec ». **4.** Un meilleur accueil. **5.** Divinité de la Mort : Atropos (l'« Inflexible »), la troisième des fileuses infernales, est celle qui tranche le fil de la vie des humains selon la mythologie grecque. **6.** La barque de Charon chargé de faire traverser le fleuve des Enfers, le Styx, aux âmes des morts.

PIERRE DE MARBEUF
1596-1645

« Et la mer et l'amour... »

Dérouler une gamme subtile d'échos de sons et de sens sur la figure rhétorique de la paronomase – ici avec les presque homonymes « mer/amer/amour » – permet au poète de se faire virtuose du jeu de mots. Une technique très prisée de l'« âge baroque » qui a succédé aux novateurs de la Renaissance pour explorer toutes les ressources du langage. « Ceux qui ont voulu nous représenter l'amour et ses caprices l'ont comparé en tant de sortes à la mer, qu'il est malaisé de rien ajouter à ce qu'ils en ont dit : ils nous ont fait voir que l'un et l'autre ont une inconstance et une infidélité égales », commente La Rochefoucauld dans ses Réflexions diverses *(1665).*

1 Et la mer et l'amour ont l'amour pour partage,
Et la mer est amère, et l'amour est amer,
L'on s'abîme en l'amour aussi bien qu'en la mer,
Car la mer et l'amour ne sont point sans orage.

5 Celui qui craint les eaux qu'il demeure au rivage,
Celui qui craint les maux qu'on souffre pour aimer,
Qu'il ne se laisse pas à l'amour enflammer,
Et tous deux ils seront sans hasard[1] de naufrage.

1. Sans risque.

La mère de l'amour eut la mer pour berceau[1],
10 Le feu sort de l'amour, sa mère sort de l'eau,
Mais l'eau contre ce feu ne peut fournir des armes.

Si l'eau pouvait éteindre un brasier amoureux,
Ton amour qui me brûle est si fort douloureux,
Que j'eusse éteint son feu de la mer de mes larmes.

Œuvres complètes

---

1. Selon la mythologie grecque, Aphrodite (Vénus pour les Romains), déesse de l'Amour et de la Beauté, a surgi des flots de la mer, non loin de l'île de Chypre (voir le fameux tableau de Botticelli, *La Naissance de Vénus*, vers 1485).

PIERRE CORNEILLE
1606-1684

Stances à Marquise

*De Pierre Corneille on connaît bien l'œuvre théâtrale et on admire ses personnages au courage exemplaire comme le Cid ou Horace. Mais on oublie qu'il a aussi composé des poèmes d'amour – et d'humour ! – comme ces stances adressées à la fameuse Marquise (1658). Danseuse, obscure saltimbanque découverte sur le marché de Lyon par René Du Parc (le « Gros-René » de la troupe de Molière) qui l'a épousée, Marquise-Thérèse dite La Du Parc est vite devenue la « coqueluche » de son temps. Comédienne de talent, reine des fêtes de Versailles où elle séduit Louis XIV, elle a tourné la tête de tous les auteurs à succès : La Fontaine, le « grand » Corneille qu'elle dédaigne pour Molière, enfin Racine qui lui offre le rôle d'*Andromaque *(1667). La belle inconstante mourra empoisonnée le 13 décembre 1668 dans des circonstances mystérieuses. Pour lui faire galamment grief de son indifférence, Corneille retrouve ici la leçon de Ronsard : la beauté ne dure qu'un moment, la gloire du poète seule est gage d'éternité.*

1 Marquise, si mon visage
A quelques traits un peu vieux,
Souvenez-vous qu'à mon âge
Vous ne vaudrez guère mieux.

5 Le temps aux plus belles choses
Se plaît à faire un affront :

Il saura faner vos roses
Comme il a ridé mon front.

Le même cours des planètes
10 Règle nos jours et nos nuits :
On m'a vu ce que vous êtes ;
Vous serez ce que je suis.

Cependant j'ai quelques charmes
Qui sont assez éclatants
15 Pour n'avoir pas trop d'alarmes
De ces ravages du temps.

Vous en avez qu'on adore ;
Mais ceux que vous méprisez
Pourraient bien durer encore
20 Quand ceux-là seront usés.

Ils pourront sauver la gloire
Des yeux qui me semblent doux,
Et dans mille ans faire croire
Ce qu'il me plaira de vous.

25 Chez cette race[1] nouvelle,
Où j'aurai quelque crédit[2],
Vous ne passerez pour belle
Qu'autant que je l'aurai dit.

Pensez-y, belle Marquise ;
30 Quoiqu'un grison[3] fasse effroi,
Il vaut bien qu'on le courtise
Quand il est fait comme moi.

« Stances à Marquise »

---

1. Descendance. **2.** Réputation. **3.** Homme aux cheveux « grisonnants » (Corneille a alors cinquante-deux ans).

JEAN DE LA FONTAINE
1621-1695

Pour des générations d'écoliers, la fable c'est avant tout « la poésie à réciter » avec tout le talent de mise en scène propre à distinguer le conteur, en digne disciple de l'immortel « Monsieur de La Fontaine ». Mais comment choisir parmi tant de chefs-d'œuvre demeurés si célèbres ? Une emprunteuse sans prévoyance, un méchant sans pitié et un fripon sans modestie représenteront ici un bestiaire organisé à l'image de la « jungle » des humains. Puisé dans la tradition inventée en Grèce par le mythique Ésope au VIe *siècle avant J.-C., le récit s'est fait morale :*

> *« Les fables ne sont pas ce qu'elles semblent être ;*
> *Le plus simple animal nous y tient lieu de maître.*
> *Une morale nue apporte de l'ennui :*
> *Le conte fait passer le précepte avec lui. »*

*(*Le pâtre et le lion*)*

La cigale et la fourmi

1 La cigale ayant chanté
  Tout l'été,
Se trouva fort dépourvue
Quand la bise fut venue :
5 Pas un seul petit morceau
De mouche ou de vermisseau.
Elle alla crier famine
Chez la fourmi sa voisine,
La priant de lui prêter
10 Quelque grain pour subsister

Jusqu'à la saison nouvelle.
« Je vous paierai, lui dit-elle,
Avant l'août, foi d'animal,
Intérêt et principal[1]. »
15 La fourmi n'est pas prêteuse :
C'est là son moindre défaut.
« Que faisiez-vous au temps chaud ?
Dit-elle à cette emprunteuse.
– Nuit et jour à tout venant
20 Je chantais, ne vous déplaise.
– Vous chantiez ? j'en suis fort aise :
Eh bien ! dansez maintenant. »

Fables, livre premier (première fable)

Le loup et l'agneau

1 La raison du plus fort est toujours la meilleure ;
Nous l'allons montrer tout à l'heure[2].

Un agneau se désaltérait
Dans le courant d'une onde pure.
5 Un loup survient à jeun, qui cherchait aventure,
Et que la faim en ces lieux attirait.
« Qui te rend si hardi de troubler mon breuvage ?
Dit cet animal plein de rage :
Tu seras châtié de ta témérité.
10 – Sire, répond l'agneau, que votre Majesté
Ne se mette pas en colère ;
Mais plutôt qu'elle considère
Que je me vas désaltérant
Dans le courant,
15 Plus de vingt pas au-dessous d'Elle ;
Et que par conséquent, en aucune façon,
Je ne puis troubler sa boisson.

---

1. La somme prêtée (principal) avec l'intérêt de l'emprunt. **2.** Tout de suite.

– Tu la troubles, reprit cette bête cruelle ;
Et je sais que de moi tu médis l'an passé.
20 – Comment l'aurais-je fait si je n'étais pas né ?
Reprit l'agneau ; je tète encore ma mère.
– Si ce n'est toi, c'est donc ton frère.
– Je n'en ai point. – C'est donc quelqu'un des [tiens ;
Car vous ne m'épargnez guère,
25 Vous, vos bergers, et vos chiens.
On me l'a dit : il faut que je me venge. »
Là-dessus, au fond des forêts
Le loup l'emporte, et puis le mange,
Sans autre forme de procès.

Fables, livre premier (dixième fable)

Le renard et les raisins

1 Certain renard gascon[1], d'autres disent normand[2],
Mourant presque de faim, vit au haut d'une treille
Des raisins mûrs apparemment
Et couverts d'une peau vermeille.
5 Le galant[3] en eût fait volontiers un repas ;
Mais, comme il n'y pouvait atteindre :
« Ils sont trop verts, dit-il, et bons pour des [goujats[4]. »
Fit-il pas mieux que de se plaindre ?

Fables, livre troisième (onzième fable)

---

1. Les Gascons ont la réputation d'être vantards. **2.** Les Normands, eux, ont la réputation de ne jamais s'engager clairement. **3.** Ici au sens de fripon, vif et rusé, selon la réputation des renards. **4.** Valet d'armée, rustre.

ANDRÉ CHÉNIER
1762-1794

La jeune Tarentine

« Romantique parmi les classiques », ainsi Victor Hugo jugeait-il André Chénier, disparu dans la tourmente de la Terreur révolutionnaire. Dans ses Bucoliques *(1785-1787), qui empruntent leur titre à un recueil du grand Virgile, cet amoureux de la littérature antique compose des poèmes d'amour et de mort dans la tradition des « idylles » et « élégies » grecques ou latines. Nourrie de ces références érudites, l'évocation mélancolique de la mort de Myrto, disparue dans un naufrage, préfigure bien des élans lyriques du siècle suivant.*

1 Pleurez, doux alcyons[1], ô vous, oiseaux sacrés,
Oiseaux chers à Thétis[2], doux alcyons, pleurez.
Elle a vécu, Myrto, la jeune Tarentine[3].
Un vaisseau la portait aux bords de Camarine[4].
5 Là l'hymen[5], les chansons, les flûtes, lentement,
Devaient la reconduire au seuil de son amant.
Une clef vigilante a pour cette journée
Dans le cèdre enfermé sa robe d'hyménée
Et l'or dont au festin ses bras seraient parés
10 Et pour ses blonds cheveux les parfums préparés.

1. Oiseaux de mer légendaires, souvent évoqués dans la poésie baroque.
2. Divinité marine, fille de Nérée et mère d'Achille, dans la mythologie grecque.
3. Originaire de Tarente en Italie du Sud. **4.** Port de Sicile. **5.** Le cortège nuptial.

Mais, seule sur la proue, invoquant les étoiles,
Le vent impétueux qui soufflait dans les voiles
L'enveloppe. Étonnée, et loin des matelots,
Elle crie, elle tombe, elle est au sein des flots.
15 Elle est au sein des flots, la jeune Tarentine.
Son beau corps a roulé sous la vague marine.
Thétis, les yeux en pleurs, dans le creux d'un rocher
Aux monstres dévorants eut soin de le cacher.
Par ses ordres bientôt les belles Néréides[1]
20 L'élèvent au-dessus des demeures humides,
Le portent au rivage, et dans ce monument[2]
L'ont, au cap du Zéphir[3], déposé mollement.
Puis de loin à grands cris appelant leurs compagnes,
Et les Nymphes des bois, des sources, des montagnes,
25 Toutes frappant leur sein, et traînant un long deuil,
Répétèrent : « Hélas ![4] » autour de son cercueil.
Hélas ! chez ton amant tu n'es point ramenée.
Tu n'as point revêtu ta robe d'hyménée.
L'or autour de tes bras n'a point serré de nœuds.
30 Les doux parfums n'ont point coulé sur tes cheveux.

Les Bucoliques

---

1. Filles de Nérée, comme Thétis. **2.** Le tombeau sur lequel le poème est censé être gravé. **3.** En Italie méridionale. **4.** Dès l'Antiquité, on a voulu entendre dans le mot grec « élégie » l'expression même de la douleur : littéralement « dire » *(légein)* hélas *(é)*.

MARCELINE DESBORDES-VALMORE
1786-1859

Les roses de Saadi

Femme amoureuse et mère passionnée, celle qui a composé de très nombreux poèmes « intimistes », mais qui a eu aussi le courage de prendre la défense des canuts lyonnais pendant leur révolte de 1831, est la seule à trouver quelque grâce auprès de Baudelaire qui, pourtant, ne ménage guère les « femmes de lettres » ! La simplicité « naturelle » (l'adjectif est utilisé par Sainte-Beuve, Baudelaire, Verlaine) d'un lyrisme aux accents mystiques en fait un auteur romantique important pour un mouvement littéraire qui n'eut pratiquement pas de « poétesses » dans son histoire, mais compta pourtant tant de « Muses » pour son inspiration.

1 J'ai voulu ce matin te rapporter des roses ;
Mais j'en avais tant pris dans mes ceintures closes
Que les nœuds trop serrés n'ont pu les contenir.

Les nœuds ont éclaté. Les roses envolées
5 Dans le vent, à la mer s'en sont toutes allées.
Elles ont suivi l'eau pour ne plus revenir ;

La vague en a paru rouge et comme enflammée.
Ce soir, ma robe encore en est tout embaumée...
Respires-en sur moi l'odorant souvenir.

Bouquets et prières

ALPHONSE DE LAMARTINE
1790-1869

Le lac

Julie Charles est l'épouse d'un physicien réputé ; pour Lamartine elle sera Elvire, l'amante adorée : un an après leur rencontre à Aix-les-Bains, où chacun faisait une cure, la jeune femme ne sera pas au rendez-vous sur la rive du lac du Bourget. Gravement malade, elle meurt à la fin de 1817. D'une simple aventure de « vacances » dans une ville d'eaux, Lamartine tire la plus célèbre des « méditations » sur la fuite du temps et la puissance du souvenir.

1 Ainsi, toujours poussés vers de nouveaux rivages,
Dans la nuit éternelle emportés sans retour,
Ne pourrons-nous jamais sur l'océan des âges
    Jeter l'ancre un seul jour ?

5 Ô lac ! l'année à peine a fini sa carrière,
Et près des flots chéris qu'elle devait revoir,
Regarde ! je viens seul m'asseoir sur cette pierre
    Où tu la vis s'asseoir !

Tu mugissais ainsi sous ces roches profondes ;
10 Ainsi tu te brisais sur leurs flancs déchirés ;
Ainsi le vent jetait l'écume de tes ondes
    Sur ses pieds adorés.

Un soir, t'en souvient-il ? nous voguions en silence[1] ;
On n'entendait au loin, sur l'onde et sous les cieux,
15 Que le bruit des rameurs qui frappaient en cadence
Tes flots harmonieux.

Tout à coup des accents inconnus à la terre
Du rivage charmé frappèrent les échos ;
Le flot fut attentif, et la voix qui m'est chère
20 Laissa tomber ces mots :

« Ô Temps, suspends ton vol ! et vous, heures [propices,
Suspendez votre cours !
Laissez-nous savourer les rapides délices
Des plus beaux de nos jours !

25 Assez de malheureux ici-bas vous implorent :
Coulez, coulez pour eux ;
Prenez avec leurs jours les soins[2] qui les dévorent ;
Oubliez les heureux.

Mais je demande en vain quelques moments encore,
30 Le temps m'échappe et fuit ;
Je dis à cette nuit : "Sois plus lente" ; et l'aurore
Va dissiper la nuit.

Aimons donc, aimons donc ! de l'heure fugitive,
Hâtons-nous, jouissons !
35 L'homme n'a point de port, le temps n'a point de [rive ;
Il coule, et nous passons ! »

Temps jaloux, se peut-il que ces moments d'ivresse,
Où l'amour à longs flots nous verse le bonheur,
S'envolent loin de nous de la même vitesse
40 Que les jours de malheur ?

Hé quoi ! n'en pourrons-nous fixer au moins la trace ?
Quoi ! passés pour jamais ? quoi ! tout entiers perdus ?
Ce temps qui les donna, ce temps qui les efface,
Ne nous les rendra plus ?

---

1. Souvenir de *La Nouvelle Héloïse* (1761) de Jean-Jacques Rousseau : « Nous gardions un profond silence. Le bruit égal et mesuré des rames m'excitait à rêver » (IV, 17). **2.** Soucis, au sens classique du terme.

45 Éternité, néant, passé, sombres abîmes
Que faites-vous des jours que vous engloutissez ?
Parlez : nous rendrez-vous ces extases sublimes
 Que vous nous ravissez ?

Ô lac ! rochers muets ! grottes ! forêt obscure !
50 Vous que le temps épargne ou qu'il peut rajeunir,
Gardez de cette nuit, gardez, belle nature,
 Au moins le souvenir !

Qu'il soit dans ton repos, qu'il soit dans tes orages,
Beau lac, et dans l'aspect de tes riants coteaux,
55 Et dans ces noirs sapins, et dans ces rocs sauvages
 Qui pendent sur tes eaux !

Qu'il soit dans le zéphyr[1] qui frémit et qui passe,
Dans les bruits de tes bords par tes bords répétés,
Dans l'astre au front d'argent qui blanchit ta surface
60 De ses molles clartés !

Que le vent qui gémit, le roseau qui soupire,
Que les parfums légers de ton air embaumé,
Que tout ce qu'on entend, l'on voit ou l'on respire,
 Tout dise : « Ils ont aimé ! »

Méditations poétiques

L'isolement

Elvire est morte. Lamartine s'est retiré à Milly dans « un isolement total » : « J'étais comme le musicien qui a trouvé un motif et qui se le chante tout bas », confiera-t-il plus tard. Son « divin sanglot » (l'expression est de Musset) s'épanche dans les vingt-quatre Méditations poétiques *saluées par un immense succès dès leur publication (1820). La mélancolie romantique vient de se trouver une voix parmi les plus mélodieuses de ce début de siècle. Voici les premiers des treize quatrains du poème « L'isolement ».*

---

1. Brise légère.

1 Souvent sur la montagne[1], à l'ombre du vieux chêne,
Au coucher du soleil, tristement je m'assieds;
Je promène au hasard mes regards sur la plaine,
Dont le tableau changeant se déroule à mes pieds.

5 Ici, gronde le fleuve aux vagues écumantes;
Il serpente, et s'enfonce en un lointain obscur;
Là, le lac immobile étend ses eaux dormantes
Où l'étoile du soir se lève dans l'azur.

Au sommet de ces monts couronnés de bois sombres,
10 Le crépuscule encor jette un dernier rayon;
Et le char vaporeux de la reine des ombres
Monte, et blanchit déjà les bords de l'horizon.

Cependant, s'élançant de la flèche gothique,
Un son religieux se répand dans les airs :
15 Le voyageur s'arrête, et la cloche rustique
Aux derniers bruits du jour mêle de saints concerts.

Mais à ces doux tableaux mon âme indifférente
N'éprouve devant eux ni charme ni transports;
Je contemple la terre ainsi qu'une ombre errante :
20 Le soleil des vivants n'échauffe plus les morts.

De colline en colline en vain portant ma vue,
Du sud à l'aquilon[2], de l'aurore au couchant,
Je parcours tous les points de l'immense étendue,
Et je dis : « Nulle part le bonheur ne m'attend. »

25 Que me font ces vallons, ces palais, ces chaumières ?
Vains objets dont pour moi le charme est envolé;
Fleuves, rochers, forêts, solitudes si chères.
Un seul être vous manque, et tout est dépeuplé.

Méditations poétiques

---

1. Le Craz, au-dessus de Milly, où se recueille souvent le poète. **2.** Expression poétique pour le Nord.

ALFRED DE VIGNY
1797-1863

Le Cor

Dans ses Poèmes antiques et modernes *(1826), Alfred de Vigny, élevé dans le culte des armes et de l'honneur, exploite avec une solennité aristocratique la veine moyenâgeuse que les romans historiques de l'Écossais Walter Scott viennent de mettre à la mode (*Ivanhoé, *1819). Ainsi l'épopée « nationale » de Roland, le preux neveu de Charlemagne, mort en 778 à Roncevaux pour avoir trop soufflé dans son cor, lui fournit l'argument d'un de ses plus célèbres poèmes.*

1 J'aime le son du Cor, le soir, au fond des bois,
Soit qu'il chante les pleurs de la biche aux abois,
Ou l'adieu du chasseur que l'écho faible accueille
Et que le vent du nord porte de feuille en feuille.

5 Que de fois, seul dans l'ombre à minuit demeuré,
J'ai souri de l'entendre, et plus souvent pleuré !
Car je croyais ouïr de ces bruits prophétiques
Qui précédaient la mort des Paladins[1] antiques.

Ô montagnes d'azur ! ô pays adoré !
10 Rocs de la Frazona, cirque du Marboré[2],

---

1. Seigneurs de la suite de Charlemagne, dans la tradition des chansons de geste. **2.** Lieux des Pyrénées centrales traversées par Roland selon la fameuse *Chanson.*

Cascades qui tombez des neiges entraînées,
Sources, gaves[1], ruisseaux, torrents des Pyrénées ;

Monts gelés et fleuris, trône des deux saisons,
Dont le front est de glace et le pied de gazons !
15 C'est là qu'il faut s'asseoir, c'est là qu'il faut [entendre
Les airs lointains d'un Cor mélancolique et tendre.

Souvent un voyageur, lorsque l'air est sans bruit,
De cette voix d'airain fait retentir la nuit ;
À ses chants cadencés autour de lui se mêle
20 L'harmonieux grelot du jeune agneau qui bêle.

Une biche attentive, au lieu de se cacher,
Se suspend immobile au sommet du rocher,
Et la cascade unit, dans une chute immense,
Son éternelle plainte au chant de la romance.

25 Âmes des Chevaliers, revenez-vous encor ?
Est-ce vous qui parlez avec la voix du Cor ?
Roncevaux ! Roncevaux ! dans ta sombre vallée
L'ombre du grand Roland n'est donc pas consolée !

Poèmes antiques et modernes, « Livre moderne »

La mort du Loup

« J'aime ceux qui se résignent sans gémir et portent bien leur fardeau », notait Vigny dans son Journal *en 1832, avant de développer sa réflexion dans les onze poèmes « philosophiques » des* Destinées, *rédigés entre 1838 et 1863. Toute la condition de l'homme, « gibier » du destin et de la mort, est ici transposée dans l'épisode symbolique du loup traqué par les chasseurs. Le chemin de la liberté et de la dignité retrouvée passe par le mépris de la souffrance, dans le silence de la résignation, comme l'ont enseigné les philo-*

1. Torrents pyrénéens.

sophes stoïciens. Les quarante premiers vers du poème ont dressé le décor étrange et « fantastique » d'une chasse nocturne : une famille de loups est surprise par plusieurs chasseurs, dont le poète lui-même.

I

[...]
1 – Le Loup vient et s'assied, les deux jambes [dressées
Par leurs ongles crochus dans le sable enfoncées.
Il s'est jugé perdu, puisqu'il était surpris,
Sa retraite coupée et tous ses chemins pris[1],
5 Alors, il a saisi, dans sa gueule brûlante,
Du chien le plus hardi la gorge pantelante
Et n'a pas desserré ses mâchoires de fer,
Malgré nos coups de feu qui traversaient sa chair
Et nos couteaux aigus qui, comme des tenailles,
10 Se croisaient en plongeant dans ses larges entrailles,
Jusqu'au dernier moment où le chien étranglé,
Mort longtemps avant lui, sous ses pieds a roulé.
Le Loup le quitte alors et puis il nous regarde.
Les couteaux lui restaient au flanc jusqu'à la garde,
15 Le clouaient au gazon tout baigné dans son sang ;
Nos fusils l'entouraient en sinistre croissant.
– Il nous regarde encore, ensuite il se recouche,
Tout en léchant le sang répandu sur sa bouche,
Et, sans daigner savoir comment il a péri,
20 Refermant ses grands yeux, meurt sans jeter un cri.

II

J'ai reposé mon front sur mon fusil sans poudre,
Me prenant à penser, et n'ai pu me résoudre
À poursuivre sa Louve et ses fils qui, tous trois,
Avaient voulu l'attendre, et, comme je le crois,
25 Sans ses deux louveteaux la belle et sombre veuve
Ne l'eût pas laissé seul subir la grande épreuve ;
Mais son devoir était de les sauver, afin
De pouvoir leur apprendre à bien souffrir la faim,

1. Les chasseurs lui ont enlevé toute possibilité de fuir.

À ne jamais entrer dans le pacte des villes
30 Que l'homme a fait avec les animaux serviles[1]
Qui chassent devant lui, pour avoir le coucher,
Les premiers possesseurs du bois et du rocher.

III

Hélas ! ai-je pensé, malgré ce grand nom d'Hommes,
Que j'ai honte de nous, débiles[2] que nous sommes !
35 Comment on doit quitter la vie et tous ses maux,
C'est vous qui le savez, sublimes animaux !
À voir ce que l'on fut sur terre et ce qu'on laisse,
Seul le silence est grand ; tout le reste est faiblesse.
– Ah ! je t'ai bien compris, sauvage voyageur,
40 Et ton dernier regard m'est allé jusqu'au cœur !
Il disait : « Si tu peux, fais que ton âme arrive,
À force de rester studieuse et pensive,
Jusqu'à ce haut degré de stoïque fierté[3]
Où, naissant dans les bois, j'ai tout d'abord[4] monté.
45 Gémir, pleurer, prier est également lâche.
Fais énergiquement ta longue et lourde tâche
Dans la voie où le Sort a voulu t'appeler,
Puis après, comme moi, souffre et meurs sans
[parler. »

Les Destinées

---

1. Les animaux domestiques, habitués à être soumis comme des esclaves (*servi* en latin), tels les chiens (voir la fable de La Fontaine, *Le loup et le chien*, I, 5). **2.** Faibles, dépourvus de force physique et morale. **3.** « Supporte et abstiens-toi » est la devise des adeptes du stoïcisme dans l'Antiquité. **4.** Dès le début.

VICTOR HUGO
1802-1885

« Ce siècle avait deux ans... »

Le plus grand dans son siècle, par son génie comme par l'étendue de son œuvre et de sa vie : Victor Hugo, que Paul Valéry présente comme « le possédé du langage poétique ». « Jamais dans notre langue, le pouvoir de tout dire en vers exacts n'a été possédé et exercé à ce degré. Jusqu'à l'abus peut-être. Hugo est en quelque sorte trop fort pour ne pas abuser du pouvoir. Il transforme tout ce qu'il veut en poésie » (Études littéraires). *Le « monstre sacré » se présente ainsi lui-même, tout en rendant un vibrant hommage à sa mère, dans le long poème qui ouvre* Les Feuilles d'automne *(1831), dont voici les premiers vers :*

1 Ce siècle avait deux ans ! Rome remplaçait Sparte[1],
Déjà Napoléon perçait sous Bonaparte,
Et du premier consul, déjà, par maint endroit,
Le front de l'empereur brisait le masque étroit.
5 Alors dans Besançon, vieille ville espagnole[2],
Jeté comme la graine au gré de l'air qui vole,
Naquit d'un sang breton et lorrain à la fois[3]
Un enfant sans couleur, sans regard et sans voix,

---

1. Rome représente le Consulat de Bonaparte (1799-1804) qui se proclame empereur Napoléon Ier en 1804 ; Sparte symbolise la rigueur austère de la Révolution de 1789. **2.** Capitale de la Franche-Comté et ville espagnole en 1595, Besançon revint à la France en 1674. **3.** Le grand-père paternel du poète était menuisier à Nancy ; sa mère était originaire de Nantes.

Si débile qu'il fut, ainsi qu'une chimère[1],
10 Abandonné de tous, excepté de sa mère,
Et que son cou ployé comme un frêle roseau
Fit faire en même temps sa bière et son berceau[2].
Cet enfant que la vie effaçait de son livre,
Et qui n'avait pas même un lendemain à vivre,
15 C'est moi. –

Je vous dirai peut-être quelque jour
Quel lait pur, que de soins, que de vœux, que
[d'amour,
Prodigués pour ma vie en naissant condamnée,
M'ont fait deux fois l'enfant de ma mère obstinée,
20 Ange qui sur trois fils attachés à ses pas
Épandait son amour et ne mesurait pas !

Ô l'amour d'une mère ! amour que nul n'oublie !
Pain merveilleux qu'un dieu partage et multiplie !
Table toujours servie au paternel foyer !
25 Chacun en a sa part et tous l'ont tout entier !

Les Feuilles d'automne

« Demain, dès l'aube... »

Dans sa Préface aux Contemplations, *le recueil poétique le plus important de son œuvre immense, rédigée en 1856 pendant l'exil à Guernesey, Hugo se présente comme l'auteur de « ce qu'on pourrait appeler* Les Mémoires d'une âme *: La vie, en filtrant goutte à goutte, à travers les événements et les souffrances, a déposé ce livre dans son cœur. » Sa structure en deux tomes est explicite : «* Autrefois, Aujourd'hui. *Un abîme les sépare, le tombeau »* (ibidem). *Au centre de ce diptyque, la date du 4 septembre 1843, comme une inguérissable fracture existentielle : lors d'une promenade en barque sur la Seine, Léopoldine, la fille aînée*

1. Tel une ombre, un fantôme. **2.** La fragilité de l'enfant (minceur de son cou) fit que l'on craignait de devoir l'enterrer (une bière est un cercueil).

tant aimée, se noie avec son jeune époux. Quatre ans plus tard, le père s'apprête à célébrer le culte du souvenir dans le petit cimetière de Villequier.

1 Demain, dès l'aube, à l'heure où blanchit la
[campagne,
Je partirai. Vois-tu, je sais que tu m'attends.
J'irai par la forêt, j'irai par la montagne.
Je ne puis demeurer loin de toi plus longtemps.

5 Je marcherai les yeux fixés sur mes pensées,
Sans rien voir au-dehors, sans entendre aucun bruit,
Seul, inconnu, le dos courbé, les mains croisées,
Triste, et le jour pour moi sera comme la nuit.

Je ne regarderai ni l'or du soir qui tombe,
10 Ni les voiles au loin descendant vers Harfleur[1],
Et quand j'arriverai, je mettrai sur ta tombe
Un bouquet de houx vert et de bruyère en fleur.

Les Contemplations, « Aujourd'hui » (Livre IV)

« Elle avait pris ce pli... »

Souvenir ému du temps où Léopoldine rayonnait de son espiègle gaieté, ce poème tout entier tourné vers « elle », disparue à dix-neuf ans, a été écrit en novembre 1846, le « jour des morts ».

1 Elle avait pris ce pli dans son âge enfantin
De venir dans ma chambre un peu chaque matin ;
Je l'attendais ainsi qu'un rayon qu'on espère ;
Elle entrait, et disait : Bonjour, mon petit père ;
5 Prenait ma plume, ouvrait mes livres, s'asseyait
Sur mon lit, dérangeait mes papiers, et riait,
Puis soudain s'en allait comme un oiseau qui passe.
Alors, je reprenais, la tête un peu moins lasse,

1. Village proche du Havre (d'où part probablement le poète), face à Honfleur.

Mon œuvre interrompue, et, tout en écrivant,
10 Parmi mes manuscrits je rencontrais souvent
Quelque arabesque folle et qu'elle avait tracée,
Et mainte page blanche entre ses mains froissée
Où, je ne sais comment, venaient mes plus doux vers.
Elle aimait Dieu, les fleurs, les astres, les prés verts,
15 Et c'était un esprit avant d'être une femme.
Son regard reflétait la clarté de son âme.
Elle me consultait sur tout à tous moments.
Oh ! que de soirs d'hiver radieux et charmants
Passés à raisonner langue, histoire et grammaire,
20 Mes quatre enfants[1] groupés sur mes genoux, leur mère
Tout près, quelques amis causant au coin du feu !
J'appelais cette vie être content de peu !
Et dire qu'elle est morte ! Hélas ! que Dieu m'assiste !
Je n'étais jamais gai quand je la sentais triste ;
25 J'étais morne au milieu du bal le plus joyeux
Si j'avais, en partant, vu quelque ombre en ses yeux.

Les Contemplations, « Aujourd'hui » (Livre IV)

La conscience

*Dans une vision quasi prophétique du destin de l'humanité, le poète se fait « mage », selon sa propre expression, pour chanter « la légende des siècles » dans une sorte de cosmogonie inspirée où l'univers s'anime sous le souffle de Dieu, des commencements bibliques aux humbles existences des « pauvres gens ». Ici Hugo met en scène la fuite de Caïn, errant avec sa tribu après qu'il a tué son frère Abel dans un accès de jalousie furieuse. Une fuite sous « l'œil de la conscience » qu'un peintre dit « pompier », Fernand Cormon, transpose sur une toile immense (*Caïn, *présenté au Salon de 1880, 4 m x 7 m), aujourd'hui exposée au musée d'Orsay à Paris.*

---

1. Léopoldine (née en 1824) est l'aînée ; Hugo aura aussi la douleur de perdre ses deux fils, Charles (1871) et François-Victor (1873), après son épouse (1867). Adèle, sa dernière fille, finira ses jours dans un asile d'aliénés.

1 Lorsque avec ses enfants vêtus de peaux de bêtes,
Échevelé, livide au milieu des tempêtes,
Caïn[1] se fut enfui de devant Jéhovah[2],
Comme le soir tombait, l'homme sombre arriva
5 Au bas d'une montagne en une grande plaine ;
Sa femme fatiguée et ses fils hors d'haleine
Lui dirent : « Couchons-nous sur la terre, et dormons. »
Caïn, ne dormant pas, songeait au pied des monts.
Ayant levé la tête, au fond des cieux funèbres,
10 Il vit un œil, tout grand ouvert dans les ténèbres,
Et qui le regardait dans l'ombre fixement.
« Je suis trop près », dit-il avec un tremblement.
Il réveilla ses fils dormant, sa femme lasse,
Et se remit à fuir sinistre dans l'espace.

15 Il marcha trente jours, il marcha trente nuits.
Il allait, muet, pâle et frémissant aux bruits,
Furtif, sans regarder derrière lui, sans trêve,
Sans repos, sans sommeil ; il atteignit la grève
Des mers dans le pays qui fut depuis Assur[3].
20 « Arrêtons-nous, dit-il, car cet asile est sûr.
Restons-y. Nous avons du monde atteint les bornes. »
Et, comme il s'asseyait, il vit dans les cieux mornes
L'œil à la même place au fond de l'horizon.
Alors il tressaillit en proie au noir frisson.
25 « Cachez-moi ! » cria-t-il ; et, le doigt sur la bouche,
Tous ses fils[4] regardaient trembler l'aïeul farouche,
Caïn dit à Jabel, père de ceux qui vont
Sous des tentes de poil dans le désert profond :
« Étends de ce côté la toile de la tente. »
30 Et l'on développa la muraille flottante ;
Et, quand on l'eut fixée avec des poids de plomb :
« Vous ne voyez plus rien ? » dit Tsilla, l'enfant blond,
La fille de ses fils, douce comme l'aurore ;

---

1. Fils aîné d'Adam et Ève, Caïn est le premier meurtrier de l'humanité selon la Bible (*Genèse*, IV, 1-24) : jaloux de son frère cadet Abel parce que Dieu a préféré ses offrandes aux siennes, il le tue. Dieu le condamne alors à une errance perpétuelle. **2.** Prononciation déformée de Yahvé, nom du Dieu d'Israël dans la Bible. **3.** Berceau et première capitale de l'Empire assyrien. **4.** Les fils de Caïn seront les ancêtres des diverses communautés humaines.

Et Caïn répondit : « Je vois cet œil encore ! »
35 Jubal, père de ceux qui passent dans les bourgs
Soufflant dans des clairons et frappant des tambours,
Cria : « Je saurai bien construire une barrière. »
Il fit un mur de bronze et mit Caïn derrière.
Et Caïn dit : « Cet œil me regarde toujours ! »
40 Hénoch dit : « Il faut faire une enceinte de tours
Si terrible, que rien ne puisse approcher d'elle.
Bâtissons une ville avec sa citadelle,
Bâtissons une ville, et nous la fermerons. »
Alors Tubalcaïn, père des forgerons,
45 Construisit une ville énorme et surhumaine.
Pendant qu'il travaillait, ses frères, dans la plaine,
Chassaient les fils d'Énos et les enfants de Seth[1] ;
Et l'on crevait les yeux à quiconque passait ;
Et, le soir, on lançait des flèches aux étoiles.
50 Le granit remplaça la tente aux murs de toiles,
On lia chaque bloc avec des nœuds de fer,
Et la ville semblait une ville d'enfer ;
L'ombre des tours faisait la nuit dans les campagnes ;
Ils donnèrent aux murs l'épaisseur des montagnes ;
55 Sur la porte on grava : « Défense à Dieu d'entrer. »
Quand ils eurent fini de clore et de murer,
On mit l'aïeul au centre en une tour de pierre ;
Et lui restait lugubre et hagard. « Ô mon père !
L'œil a-t-il disparu ? » dit en tremblant Tsilla.
60 Et Caïn répondit : « Non, il est toujours là. »
Alors il dit : « Je veux habiter sous la terre
Comme dans son sépulcre un homme solitaire ;
Rien ne me verra plus, je ne verrai plus rien. »
On fit donc une fosse, et Caïn dit « C'est bien ! »
65 Puis il descendit seul sous cette voûte sombre.
Quand il se fut assis sur sa chaise dans l'ombre
Et qu'on eut sur son front fermé le souterrain,
L'œil était dans la tombe et regardait Caïn.

La Légende des siècles, « D'Ève à Jésus »

---

1. Seth est né d'Adam et Ève après le meurtre d'Abel. Son fils Énosh est le premier à invoquer le nom de Dieu d'après la Bible (*Genèse*, IV, 25-26).

Booz endormi

Autre grande vision épique, celle du vieux Booz qui se désespère de ne pas avoir de descendance. Une lecture que l'enfant Hugo a découverte avec émerveillement dans une Bible dénichée au fond d'un grenier (« Le Livre de Ruth ») et dont le poète fait un majestueux hymne de paix et de fécondité. Des vingt-deux quatrains du poème, voici les sept derniers.

[...]
1 Pendant qu'il sommeillait[1], Ruth, une Moabite[2],
S'était couchée aux pieds de Booz, le sein nu,
Espérant on ne sait quel rayon inconnu,
Quand viendrait du réveil la lumière subite.

5 Booz ne savait point qu'une femme était là,
Et Ruth ne savait point ce que Dieu voulait d'elle.
Un frais parfum sortait des touffes d'asphodèle,
Les souffles de la nuit flottaient sur Galgala[3].

L'ombre était nuptiale, auguste et solennelle ;
10 Les anges y volaient sans doute obscurément,
Car on voyait passer dans la nuit, par moment,
Quelque chose de bleu qui paraissait une aile.

La respiration de Booz qui dormait
Se mêlait au bruit sourd des ruisseaux sur la mousse.
15 On était dans le mois où la nature est douce,
Les collines ayant des lis sur leur sommet.

Ruth songeait et Booz dormait ; l'herbe était noire,
Les grelots des troupeaux palpitaient vaguement ;
Une immense bonté tombait du firmament ;
20 C'était l'heure tranquille où les lions vont boire.

Tout reposait dans Ur[4] et dans Jérimadeth[5] ;

---

1. Booz vient de rêver qu'un chêne « sorti de son ventre allait jusqu'au ciel bleu » (vers 38). **2.** Ruth est une femme du pays de Moab, à l'est de la mer Morte ; Booz l'a accueillie sur ses terres. Unie à Booz, elle lui donnera un fils, Obed, qui sera le père de Jessé, lui-même père du roi David. **3.** Colline près de Bethléem. **4.** Ville de Chaldée (sud de la Mésopotamie). **5.** Nom de ville imaginaire inventé par Hugo pour les besoins de la rime (= « J'ai rime à -dait »).

Les astres émaillaient le ciel profond et sombre ;
Le croissant fin et clair parmi ces fleurs de l'ombre
Brillait à l'occident, et Ruth se demandait,

25 Immobile, ouvrant l'œil à moitié sous ses voiles,
Quel dieu, quel moissonneur de l'éternel été
Avait, en s'en allant, négligemment jeté
Cette faucille d'or dans le champ des étoiles.

La Légende des siècles, « D'Ève à Jésus »

Oceano nox

*Lors d'un voyage en Normandie, Hugo a assisté au déchaînement de l'ouragan sur les falaises de Saint-Valéry-en-Caux le 16 juillet 1836. Marqué par cette forte impression, il compose un long poème de quarante-huit vers (sont données ici les trois premières et la dernière strophes) dont le titre est tiré d'un vers de l'*Énéide *de Virgile (chant II, vers 250) :* Ruit oceano nox *(« La nuit se rue sur l'Océan »).*

Agacé par ces interrogations mélodramatiques d'un « terrien » bavard, le poète Tristan Corbière répond en « marin » fier des « risques du métier ». On pourra lire les deux premières et la dernière strophes de son poème « La fin », après celui de Victor Hugo.

1 Oh ! combien de marins, combien de capitaines
Qui sont partis joyeux pour des courses lointaines,
Dans ce morne horizon se sont évanouis !
Combien ont disparu, dure et triste fortune !
5 Dans une mer sans fond, par une nuit sans lune,
Sous l'aveugle océan à jamais enfouis !

Combien de patrons morts avec leurs équipages !
L'ouragan de leur vie a pris toutes les pages,
Et d'un souffle il a tout dispersé sur les flots !
10 Nul ne saura leur fin dans l'abîme plongée.
Chaque vague en passant d'un butin s'est chargée ;
L'une a saisi l'esquif, l'autre les matelots !

Nul ne sait votre sort, pauvres têtes perdues !
Vous roulez à travers les sombres étendues,
15 Heurtant de vos fronts morts des écueils inconnus.
Oh ! que de vieux parents, qui n'avaient plus qu'un
[rêve,
Sont morts en attendant tous les jours sur la grève
Ceux qui ne sont pas revenus !
[...]
Où sont-ils, les marins sombrés dans les nuits
[noires ?
20 Ô flots, que vous avez de lugubres histoires !
Flots profonds, redoutés des mères à genoux !
Vous vous les racontez en montant les marées,
Et c'est ce qui vous fait ces voix désespérées
Que vous avez le soir quand vous venez vers nous !

Les Rayons et les Ombres

1 Eh bien, tous ces marins – matelots, capitaines,
Dans leur grand Océan à jamais engloutis...
Partis insoucieux pour leurs courses lointaines
Sont morts – absolument comme ils étaient partis.

5 Allons ! c'est leur métier ; ils sont morts dans leurs
[bottes !
Leur *boujaron*[1] au cœur, tout vifs dans leurs
[capotes...
– *Morts*... Merci : la *Camarde*[2] a pas le pied marin ;
Qu'elle couche avec vous : c'est votre bonne femme...
– Eux, allons donc : Entiers ! enlevés par la lame !
10 Ou perdus dans un grain... [...]
... Qu'ils roulent infinis dans les espaces vierges !...
Qu'ils roulent verts et nus,
Sans clous et sans sapin, sans couvercle, sans cierges...
– Laissez-les donc rouler, *terriens* parvenus !

Tristan Corbière, *« La fin », Les Amours jaunes (1873)*

1. Ration d'eau-de-vie. **2.** L'adjectif « camard » signifie qui a le nez plat, écrasé ; le substantif féminin désigne la Mort.

Choses du soir

En 1877, Hugo, élu sénateur, est devenu le patriarche vénérable des lettres françaises ; la fin de sa vie, endeuillée par la disparition des êtres chers, est éclairée par l'affection de ses petits-enfants, Georges et Jeanne, pour qui il a composé « L'Art d'être grand-père ». Sur un rythme de comptine propre à bercer les petits, ce poème déroule le nostalgique refrain des vieilles chansons d'antan.

1 Le brouillard est froid, la bruyère est grise ;
Les troupeaux de bœufs vont aux abreuvoirs ;
La lune, sortant des nuages noirs,
Semble une clarté qui vient par surprise.

5 Je ne sais plus quand, je ne sais plus où,
Maître Yvon soufflait dans son biniou[1].

Le voyageur marche et la lande est brune ;
Une ombre est derrière, une ombre est devant ;
Blancheur au couchant, lueur au levant ;
10 Ici crépuscule, et là clair de lune ;

Je ne sais plus quand, je ne sais plus où,
Maître Yvon soufflait dans son biniou.

La sorcière assise allonge sa lippe[2] ;
L'araignée accroche au toit son filet ;
15 Le lutin reluit dans le feu follet
Comme un pistil d'or dans une tulipe.

Je ne sais plus quand, je ne sais plus où,
Maître Yvon soufflait dans son biniou.

On voit sur la mer des chasse-marées[3] ;
20 Le naufrage guette un mât frissonnant ;
Le vent dit : demain ! l'eau dit : maintenant !
Les voix qu'on entend sont désespérées.

Je ne sais plus quand, je ne sais plus où,
Maître Yvon soufflait dans son biniou.

---

1. Sorte de cornemuse bretonne. **2.** Lèvre inférieure épaisse et proéminente. **3.** Petits bateaux côtiers à trois mâts servant au transport de la marée.

25 Le coche qui va d'Avranche à Fougère[1]
Fait claquer son fouet comme un vif éclair ;
Voici le moment où flottent dans l'air
Tous ces bruits confus que l'ombre exagère.

Je ne sais plus quand, je ne sais plus où,
30 Maître Yvon soufflait dans son biniou.

Dans les bois profonds brillent des flambées :
Un vieux cimetière est sur un sommet ;
Où Dieu trouve-t-il tout ce noir qu'il met
Dans les cœurs brisés et les nuits tombées ?

35 Je ne sais plus quand, je ne sais plus où,
Maître Yvon soufflait dans son biniou.

Des flaques d'argent tremblent sur les sables :
L'orfraie[2] est au bord des talus crayeux ;
Le pâtre, à travers le vent, suit des yeux
40 Le vol monstrueux et vague des diables.

Je ne sais plus quand, je ne sais plus où,
Maître Yvon soufflait dans son biniou.

Un panache gris sort des cheminées ;
Le bûcheron passe avec son fardeau ;
45 On entend, parmi le bruit des cours d'eau,
Des frémissements de branches traînées.

Je ne sais plus quand, je ne sais plus où,
Maître Yvon soufflait dans son biniou.

La faim fait rêver les grands loups moroses ;
50 La rivière court, le nuage fuit ;
Derrière la vitre où la lampe luit,
Les petits enfants ont des têtes roses.

Je ne sais plus quand, je ne sais plus où,
Maître Yvon soufflait dans son biniou.

L'Art d'être grand-père (Livre II)

---

1. Deux villes de Bretagne reliées par diligence (le coche). **2.** Oiseau de proie diurne.

GÉRARD DE NERVAL
1808-1855

El Desdichado

« Le pays des chimères est en ce monde le seul digne d'être habité », une confidence de Rousseau (Les Rêveries du promeneur solitaire, 1776-1778) *dont Gérard de Nerval a fait le bilan d'une vie. Très atteint par des crises de folie répétées qui provoquent « l'épanchement du songe dans la vie réelle », selon une formule de son récit* Aurélia *(1855), le poète livre l'expérience angoissée de ses rêves « chimériques » dans douze sonnets composés entre 1843 et 1854 et regroupés sous le titre* Les Chimères *à la fin du recueil de nouvelles* Les Filles de feu *(1854). Quête d'identité, recherche de l'éternel féminin, obsession de la mort : pour exprimer ses hantises, Nerval devient ce chevalier errant, sans nom ni fief, que l'on voit apparaître vêtu de noir dans* Ivanhoé, *le roman de Walter Scott (1819). « Il n'avait sur son bouclier d'autres armoiries qu'un jeune chêne déraciné, et sa devise était le mot espagnol* Desdichado, *c'est-à-dire Déshérité » (chapitre VIII).*

1 Je suis le ténébreux[1], – le veuf, – l'inconsolé,
Le prince d'Aquitaine[2] à la tour abolie :
Ma seule *étoile* est morte, – et mon luth constellé

---

1. Le Beau Ténébreux est le surnom d'Amadis de Gaule, prince malheureux en amour, héros d'un roman de chevalerie espagnol (1508). **2.** Nerval se croyait descendant d'un châtelain du Périgord.

Porte[1] le *soleil* noir de la *Mélancolie*[2].

5 Dans la nuit du tombeau, toi qui m'as consolé,
Rends-moi le Pausilippe[3] et la mer d'Italie,
La *fleur* qui plaisait tant à mon cœur désolé[4],
Et la treille où le pampre à la rose s'allie.

Suis-je Amour ou Phébus[5] ?... Lusignan[6] ou Biron[7] ?
10 Mon front est rouge encor du baiser de la reine ;
J'ai rêvé dans la grotte où nage la sirène[8]...

Et j'ai deux fois vainqueur traversé l'Achéron[9] :
Modulant tour à tour sur la lyre d'Orphée
Les soupirs de la sainte et les cris de la fée.

Les Chimères

Une allée du Luxembourg

« En ce temps, je ronsardisais... », ainsi Gérard de Nerval juge-t-il ses premiers poèmes, écrits pour la plupart au début des années 1830, qu'il insère dans la prose de ses Petits Châteaux de Bohême *avec le titre d'*Odelettes *(1853). Sous l'apparente simplicité d'une romance ancienne, se murmure le nostalgique refrain de l'éphémère. Cette vision fugitive de l'inconnue, un instant reconnue comme la femme idéale, sera aussi celle de Verlaine : « Je fais souvent ce rêve étrange et pénétrant... »* *(voir p. 99).*

1 Elle a passé, la jeune fille
Vive et preste comme un oiseau :

---

1. Le luth du poète se substitue à l'écu du chevalier. **2.** Titre d'une gravure de Dürer (1514). **3.** Promontoire près de Naples où la tradition situe le tombeau de Virgile. **4.** L'ancolie, selon Nerval : de couleur mauve et rose, elle est symbole de tristesse et emblème de folie. **5.** Phoebus (le Brillant), épithète du dieu Apollon. **6.** Famille célèbre au temps des Croisades : Gui de Lusignan fut roi de Jérusalem au XIIIe siècle (selon la légende, il avait épousé la fée Mélusine). **7.** Le seigneur de Biron (Dordogne) était un compagnon d'Henri IV. **8.** Allusion à une grotte de la baie de Naples. **9.** Fleuve des Enfers, deux fois franchi par Orphée pour aller chercher Eurydice (la légende grecque fournit ainsi une allusion aux crises de folie de 1841 et 1853).

À la main une fleur qui brille,
À la bouche un refrain nouveau.

5 C'est peut-être la seule au monde
Dont le cœur au mien répondrait,
Qui venant dans ma nuit profonde
D'un seul regard l'éclaircirait !...

Mais non, – ma jeunesse est finie...
10 Adieu, doux rayon qui m'as lui, –
Parfum, jeune fille, harmonie...
Le bonheur passait, – il a fui !

Odelettes

Épitaphe

Dans la tradition des inscriptions funéraires, l'ultime aveu du Desdichado.

1 Il a vécu tantôt gai comme un sansonnet[1]
Tour à tour amoureux insoucieux et tendre,
Tantôt sombre et rêveur comme un triste Clitandre[2].
Un jour il entendit qu'à sa porte on sonnait.

5 C'était la Mort ! Alors il la pria d'attendre
Qu'il eût posé le point à son dernier sonnet ;
Et puis sans s'émouvoir, il s'en alla s'étendre
Au fond du coffre froid où son corps frissonnait.

Il était paresseux, à ce que dit l'histoire,
10 Il laissait trop sécher l'encre dans l'écritoire.
Il voulait tout savoir mais il n'a rien connu.

Et quand vint le moment où, las de cette vie,
Un soir d'hiver, enfin l'âme lui fut ravie,
Il s'en alla disant : « Pourquoi suis-je venu ? »

Poésies diverses

---

1. Petit oiseau à plumage sombre (étourneau). **2.** Personnage de comédie.

ALFRED DE MUSSET
1810-1857

Ballade à la Lune

Avec les Contes d'Espagne et d'Italie, *publiés en décembre 1829, un jeune poète de dix-neuf ans connaît un extraordinaire succès : « la lune comme un point sur un i » devient aussitôt une expression à la mode. Celui qui passe pour « l'enfant prodige du romantisme » irrite beaucoup les Classiques, qui crient à la provocation, et déchaîne l'enthousiasme des Romantiques, qui saluent l'exploit technique : lyrisme débridé, pittoresque impertinent et rythme capricieux. Mais, dès 1831, Musset se moque de ceux « qui ont lu posément la* Ballade à la Lune *» : une forme d'humour parodique – on pense au « maître » Hugo dont le premier recueil d'*Odes et ballades *est paru en 1822 – se mêle ici à une feinte naïveté.*

Sur les trente-quatre quatrains qui composent la ballade, voici les onze premiers et les sept derniers :

1 C'était, dans la nuit brune,
Sur le clocher jauni,
  La lune
Comme un point sur un i.

5 Lune, quel esprit sombre
Promène au bout d'un fil,
  Dans l'ombre,
Ta face et ton profil ?

Es-tu l'œil du ciel borgne ?
10 Quel chérubin cafard[1]
Nous lorgne
Sous ton masque blafard ?

N'es-tu rien qu'une boule,
Qu'un grand faucheux[2] bien gras
15 Qui roule
Sans pattes et sans bras ?

Es-tu, je t'en soupçonne,
Le vieux cadran de fer
Qui sonne
20 L'heure aux damnés d'enfer ?

Sur ton front qui voyage,
Ce soir ont-ils compté
Quel âge
A leur éternité ?

25 Est-ce un ver qui te ronge
Quand ton disque noirci
S'allonge
En croissant rétréci ?

Qui t'avait éborgnée,
30 L'autre nuit ? T'étais-tu
Cognée
À quelque arbre pointu ?

Car tu vins, pâle et morne,
Coller sur mes carreaux
35 Ta corne
À travers les barreaux.

Va, lune moribonde,
Le beau corps de Phébé[3]
La blonde

---

1. Petit ange hypocrite (au sens étymologique, « se cachant sous un masque ») qui joue les espions. **2.** Sorte d'araignée champêtre à longues pattes. **3.** Dans la mythologie grecque, Phébé (*Phoibè* en grec signifie « la Brillante ») est la mère de Léto, elle-même mère d'Apollon (souvent appelé *Phoibos*) et d'Artémis (Diane), déesse de la chasse que les Anciens associent à la lune (elle porte aussi l'épithète de *Phoibè*).

40 Dans la mer est tombé.

Tu n'en es que la face
Et déjà, tout ridé,
  S'effface
Ton front dépossédé.
    [...]

45 Lune, en notre mémoire,
De tes belles amours
  L'histoire
T'embellira toujours.

Et toujours rajeunie,
50 Tu seras du passant
  Bénie,
Pleine lune ou croissant.

T'aimera le vieux pâtre,
Seul, tandis qu'à ton front
55 D'albâtre,
Ses dogues aboieront.

T'aimera le pilote,
Dans son grand bâtiment
  Qui flotte
60 Sous le clair firmament.

Et la fillette preste
Qui passe le buisson,
  Pied leste,
En chantant sa chanson...

65 Et qu'il vente ou qu'il neige,
Moi-même, chaque soir,
  Que fais-je
Venant ici m'asseoir ?

Je viens voir à la brune,
70 Sur le clocher jauni,
  La lune
Comme un point sur un i.

Contes d'Espagne et d'Italie

La Nuit de Mai

Les quatre longs poèmes intitulés Nuits (Mai, Décembre, Août, Octobre) *constituent une sorte de chronique sentimentale qui s'étend du printemps 1835 à l'automne 1837. La première, composée quelques mois seulement après la rupture définitive avec George Sand, exalte la « sainteté » de la souffrance comme ferment du sublime ; celle-ci ne cessera plus d'être le « credo » du poète qu'elle inspire :*

« L'homme est un apprenti, la douleur est son maître,
Et nul ne se connaît tant qu'il n'a pas souffert » (La Nuit d'Octobre). *Voici deux extraits de* La Nuit de Mai *: le début où la Muse, incarnation de la Poésie, interpelle le poète et le passage célèbre où elle développe l'allégorie éminemment symbolique du pélican :*

LA MUSE

1 Poète, prends ton luth et me donne un baiser ;
La fleur de l'églantier sent ses bourgeons éclore.
Le printemps naît ce soir ; les vents vont s'embraser ;
Et la bergeronnette, en attendant l'aurore,
5 Aux premiers buissons verts commence à se poser.
Poète, prends ton luth, et me donne un baiser.

LE POÈTE

Comme il fait noir dans la vallée !
J'ai cru qu'une forme voilée
Flottait là-bas sur la forêt.
10 Elle sortait de la prairie ;
Son pied rasait l'herbe fleurie ;
C'est une étrange rêverie ;
Elle s'efface et disparaît.

LA MUSE

Poète, prends ton luth ; la nuit, sur la pelouse,
15 Balance le zéphyr dans son voile odorant.
La rose, vierge encor, se referme jalouse
Sur le frelon nacré qu'elle enivre en mourant.
Écoute ! tout se tait : songe à ta bien-aimée.
Ce soir, sous les tilleuls à la sombre ramée
20 Le rayon du couchant laisse un adieu plus doux.

Ce soir, tout va fleurir : l'immortelle nature
Se remplit de parfums, d'amour et de murmure,
Comme le lit joyeux de deux jeunes époux.

LE POÈTE

Pourquoi mon cœur bat-il si vite ?
25 Qu'ai-je donc en moi qui s'agite
Dont je me sens épouvanté ?
Ne frappe-t-on pas à ma porte ?
Pourquoi ma lampe à demi morte
M'éblouit-elle de clarté ?
30 Dieu puissant ! tout mon corps frissonne.
Qui vient ? qui m'appelle ? – Personne.
Je suis seul ; c'est l'heure qui sonne ;
O solitude ! ô pauvreté !

LA MUSE

Poète, prends ton luth ; le vin de la jeunesse
35 Fermente cette nuit dans les veines de Dieu.
Mon sein est inquiet, la volupté l'oppresse,
Et les vents altérés m'ont mis la lèvre en feu.
[...]

LA MUSE

1 Crois-tu donc que je sois comme le vent d'automne,
Qui se nourrit de pleurs jusque sur un tombeau,
Et pour qui la douleur n'est qu'une goutte d'eau ?
Ô poète ! un baiser, c'est moi qui te le donne.
5 L'herbe que je voulais arracher de ce lieu,
C'est ton oisiveté ; ta douleur est à Dieu.
Quel que soit le souci que ta jeunesse endure,
Laisse-la s'élargir, cette sainte blessure
Que les noirs séraphins[1] t'ont faite au fond du cœur,
10 Rien ne nous rend si grands qu'une grande douleur,
Mais, pour en être atteint, ne crois pas, ô poète,
Que ta voix ici-bas doive rester muette.
Les plus désespérés sont les chants les plus beaux,
Et j'en sais d'immortels qui sont de purs sanglots.
15 Lorsque le pélican, lassé d'un long voyage,
Dans les brouillards du soir retourne à ses roseaux,

---

1. Anges représentés avec trois paires d'ailes.

Ses petits affamés courent sur le rivage
En le voyant au loin s'abattre sur les eaux.
Déjà, croyant saisir et partager leur proie,
20 Ils courent à leur père avec des cris de joie
En secouant leurs becs sur leurs goitres[1] hideux.
Lui, gagnant à pas lents une roche élevée,
De son aile pendante abritant sa couvée,
Pêcheur mélancolique, il regarde les cieux.
25 Le sang coule à longs flots de sa poitrine ouverte ;
En vain il a des mers fouillé la profondeur ;
L'Océan était vide et la plage déserte ;
Pour toute nourriture il apporte son cœur.
Sombre et silencieux, étendu sur la pierre,
30 Partageant à ses fils ses entrailles de père,
Dans son amour sublime il berce sa douleur,
Et, regardant couler sa sanglante mamelle,
Sur son festin de mort il s'affaisse et chancelle,
Ivre de volupté, de tendresse et d'horreur.
35 Mais parfois, au milieu du divin sacrifice,
Fatigué de mourir dans un trop long supplice,
Il craint que ses enfants ne le laissent vivant ;
Alors il se soulève, ouvre son aile au vent,
Et, se frappant le cœur avec un cri sauvage,
40 Il pousse dans la nuit un si funèbre adieu
Que les oiseaux des mers désertent le rivage,
Et que le voyageur attardé sur la plage,
Sentant passer la mort, se recommande à Dieu.
Poète, c'est ainsi que font les grands poètes.
45 Ils laissent s'égayer ceux qui vivent un temps ;
Mais les festins humains qu'ils servent à leurs fêtes
Ressemblent la plupart à ceux des pélicans.

Les Nuits

---

1. Excroissance volumineuse de la gorge.

Le saule
Tristesse

Composés à dix ans d'écart, un refrain en forme de chanson et un sonnet semblent se faire écho dans la simplicité lyrique de ce que l'on commence à appeler le spleen *: en 1830, la romance du* Saule *ressemble déjà à une épitaphe (ces six vers sont gravés sur la tombe de Musset, ombragée par un saule, au cimetière du Père-Lachaise à Paris). En 1840, prématurément usé par l'alcool et des liaisons sans lendemain, Musset compose l'amer bilan de* Tristesse *: ce poème isolé n'était pas destiné à la publication ; griffonné pendant une nuit d'insomnie, il est trouvé au matin par un ami qui le fera paraître un an plus tard.*

1 Mes chers amis, quand je mourrai,
Plantez un saule au cimetière,
J'aime son feuillage éploré,
La pâleur m'en est douce et chère,
5 Et son ombre sera légère
À la terre où je dormirai.

Premières poésies

1 J'ai perdu ma force et ma vie.
Et mes amis et ma gaîté ;
J'ai perdu jusqu'à la fierté
Qui faisait croire à mon génie.

5 Quand j'ai connu la Vérité,
J'ai cru que c'était une amie ;
Quand je l'ai comprise et sentie,
J'en étais déjà dégoûté.

Et pourtant elle est éternelle,
10 Et ceux qui se sont passés d'elle
Ici-bas ont tout ignoré.

Dieu parle, il faut qu'on lui réponde.
Le seul bien qui me reste au monde
Est d'avoir quelquefois pleuré.

Poésies

THÉOPHILE GAUTIER
1811-1872

Dans la Sierra
Fantaisie d'hiver

« Oui, l'œuvre sort plus belle
D'une forme au travail
Rebelle,
Vers, marbre, onyx, émail. »

*C'est sur cette affirmation péremptoire que s'ouvre le poème « L'Art » (*Émaux et Camées, *1852), considéré par ses contemporains comme le manifeste de « l'art pour l'art », en réaction contre les épanchements lyriques – à la Musset ! – d'un romantisme jugé trop facile. Salué par Hugo comme par Baudelaire qui lui dédie ses* Fleurs du Mal *(« Au poète impeccable, au parfait magicien ès lettres françaises »), le champion de la Beauté formelle dans tous les domaines artistiques ne rencontre cependant plus guère aujourd'hui qu'une indifférence polie pour ses poèmes de « marbre ciselé ». Ce sont ses romans et nouvelles historiques et fantastiques (*Arria Marcella, *1852,* Le Roman de la momie, *1857,* Le Capitaine Fracasse, *1863) qui nous séduisent bien plus en ravivant les couleurs étranges d'un passé rêvé.*

À côté de l'exotisme pompeusement affecté d'un paysage « à l'espagnole », la délicate esquisse d'une « fantaisie » hivernale mêle avec plus de discrétion le goût de l'« antique » cher au poète et la nostalgie du temps qui passe.

1 J'aime d'un fol amour les monts fiers et sublimes !
Les plantes n'osent pas poser leurs pieds frileux
Sur le linceul d'argent qui recouvre leurs cimes ;
Le soc s'émousserait à leurs pics anguleux.

5 Ni vigne aux bras lascifs, ni blés dorés, ni seigles,
Rien qui rappelle l'homme et le travail maudit.
Dans leur air libre et pur nagent des essaims d'aigles,
Et l'écho du rocher siffle l'air du bandit.

Ils ne rapportent rien et ne sont pas utiles ;
10 Ils n'ont que leur beauté, je le sais, c'est bien peu.
Mais moi je les préfère aux champs gras et fertiles,
Qui sont si loin du ciel qu'on n'y voit jamais Dieu.

España

1 Dans le bassin des Tuileries[1],
Le cygne s'est pris en nageant,
Et les arbres, comme aux féeries[2],
Sont en filigrane d'argent.

5 Les vases ont des fleurs de givre,
Sous la charmille[3] aux blancs réseaux ;
Et sur la neige on voit se suivre
Les pas étoilés des oiseaux.

Au piédestal où, court-vêtue,
10 Vénus[4] coudoyait Phocion[5],
L'Hiver a posé pour statue
La Frileuse de Clodion[6].

Émaux et Camées

---

1. Célèbre jardin à Paris. **2.** Spectacle merveilleux (« féerique ») où sont représentés des personnages surnaturels (fées) dans des décors fabuleux. **3.** Allée de verdure bordant la promenade. **4.** Statue représentant la déesse antique de la Beauté et de l'Amour. **5.** Général et homme d'État athénien du IVe siècle avant J.-C. **6.** Célèbre statue du sculpteur Clodion (1738-1814).

LECONTE DE LISLE
1818-1894

Le rêve du jaguar

Comme un écho exotique de son île natale de la Réunion, Leconte de Lisle compose un bestiaire luxuriant où il « croque » les grands fauves à la façon d'un peintre « visionnaire » transformant en métaphores colorées la méditation d'un poète pessimiste hanté par la violence de la « jungle » humaine.

1 Sous les noirs acajous, les lianes en fleur,
Dans l'air lourd, immobile et saturé de mouches,
Pendent, et, s'enroulant en bas parmi les souches,
Bercent le perroquet splendide et querelleur,
5 L'araignée au dos jaune et les singes farouches.
C'est là que le tueur de bœufs et de chevaux,
Le long des vieux troncs morts à l'écorce moussue[1],
Sinistre et fatigué, revient à pas égaux.
Il va, frottant ses reins musculeux qu'il bossue[2] ;
10 Et, du mufle béant par la soif alourdi,
Un souffle rauque et bref, d'une brusque secousse,
Trouble les grands lézards, chauds des feux de midi,
Dont la fuite étincelle à travers l'herbe rousse.
En un creux du bois sombre interdit au soleil
15 Il s'affaisse, allongé sur quelque roche plate ;

---

1. Couverte de mousse. **2.** Présent du verbe « bossuer » qui signifie « déformer par des bosses ».

D'un large coup de langue il se lustre la patte ;
Il cligne ses yeux d'or hébétés de sommeil ;
Et, dans l'illusion de ses forces inertes,
Faisant mouvoir sa queue et frissonner ses flancs,
20 Il rêve qu'au milieu des plantations vertes,
Il enfonce d'un bond ses ongles ruisselants
Dans la chair des taureaux effarés et beuglants.

Poèmes barbares

Le combat homérique

*Dans la veine antique chère à Gautier et aux Parnassiens, Leconte de Lisle retrouve le souffle épique des célèbres combats de l'*Iliade.

1 De même qu'au soleil l'horrible essaim de mouches
Des taureaux égorgés couvre les cuirs velus,
Un tourbillon guerrier de peuples chevelus,
Hors des nefs, s'épaissit, plein de clameurs farouches.

5 Tout roule et se confond, souffle rauque des bouches,
Bruit des coups, les vivants et ceux qui ne sont plus,
Chars vides, étalons cabrés, flux et reflux
Des boucliers d'airain hérissés d'éclairs louches.

Les reptiles tordus au front, les yeux ardents,
10 L'aboyeuse Gorgô[1] vole et grince des dents
Par la plaine où le sang exhale ses buées.

Zeus, sur le Pavé d'or[2], se lève, furieux,
Et voici que la troupe héroïque des Dieux
Bondit dans le combat du faîte des nuées.

Poèmes barbares

---

1. La Gorgone Méduse est un monstre grimaçant, doté d'une chevelure hérissée de serpents et d'un regard pétrifiant. **2.** Zeus (Jupiter), roi des dieux, siège dans le palais d'or du mont Olympe.

CHARLES BAUDELAIRE
1821-1867

Correspondances

« Qui dit romantisme dit art moderne, – c'est-à-dire intimité, spiritualité, couleur, aspiration vers l'infini, exprimées par tous les moyens que contiennent les arts » (Salon de 1846). *C'est donc en héritier du romantisme, qui n'est « ni dans le choix des sujets ni dans la vérité exacte, mais dans la manière de sentir »* (ibidem), *que Baudelaire se fait le héraut de la modernité. À la charnière du siècle, sa révolution poétique va jouer un rôle capital : la « sorcellerie évocatoire » des* Fleurs du mal *marque tous ceux qui exploreront à sa suite la puissance mystérieuse du Verbe. Comme l'écrit Rimbaud à son ami Paul Demeny, « Baudelaire est le premier voyant, roi des poètes,* un vrai Dieu » (15 mai 1871). *Le principe de ce nouvel art poétique, élevé au rang d'une institution sacrée : la théorie des* correspondances. *En guise de programme aux* Fleurs du mal *(1857), le quatrième poème de la section « Spleen et Idéal » en offre une leçon et un exemple : « Tout, forme, mouvement, nombre, couleur, parfum, dans le spirituel comme dans le naturel, est significatif, réciproque, converse,* correspondant » (Réflexions sur quelques-uns de mes contemporains, *1861*).

1 La Nature est un temple où de vivants piliers
Laissent parfois sortir de confuses paroles ;
L'homme y passe à travers des forêts de symboles
Qui l'observent avec des regards familiers.

5 Comme de longs échos qui de loin se confondent
Dans une ténébreuse et profonde unité,
Vaste comme la nuit et comme la clarté,
Les parfums, les couleurs et les sons se répondent.

Il est des parfums frais comme des chairs d'enfants,
10 Doux comme les hautbois, verts comme les prairies,
– Et d'autres, corrompus, riches et triomphants,

Ayant l'expansion des choses infinies,
Comme l'ambre, le musc[1], le benjoin[2] et l'encens
Qui chantent les transports de l'esprit et des sens.

Les Fleurs du mal, « Spleen et Idéal »

Harmonie du soir

« Manier savamment une langue, c'est pratiquer une espèce de sorcellerie évocatoire. C'est alors que la couleur parle, comme une voix profonde et vibrante (...), que le parfum provoque la pensée et le souvenir correspondants ; que la passion murmure ou rugit son langage éternellement semblable » (Critique littéraire, Théophile Gautier, *1859*). *En admirateur fervent du « très cher et très vénéré maître et ami » Gautier à qui il dédie ses « fleurs maladives », Baudelaire joue sur la virtuosité technique de « l'art pour l'art » : l'exigence de Beauté se nourrit de la sensation mais passe aussi par la Forme. Sur le principe du « pantoum » (poème d'origine malaise composé de quatrains à rimes croisées, dans lesquels le deuxième et le quatrième vers sont repris par le premier et le troisième vers de la strophe suivante), cet étrange exercice poétique mêle résonances religieuses et mystiques sur le rythme d'une « valse mélancolique » dont la savante chorégraphie suscite le « langoureux vertige ».*

1. L'ambre et le musc sont des substances d'origine animale qui permettent de préparer des parfums très odorants. **2.** Substance résineuse utilisée en parfumerie.

1 Voici venir les temps où vibrant sur sa tige
Chaque fleur s'évapore ainsi qu'un encensoir[1] ;
Les sons et les parfums tournent dans l'air du soir ;
Valse mélancolique et langoureux vertige !

5 Chaque fleur s'évapore ainsi qu'un encensoir ;
Le violon frémit comme un cœur qu'on afflige ;
Valse mélancolique et langoureux vertige !
Le ciel est triste et beau comme un grand reposoir[2].

Le violon frémit comme un cœur qu'on afflige,
10 Un cœur tendre, qui hait le néant vaste et noir !
Le ciel est triste et beau comme un grand reposoir ;
Le soleil s'est noyé dans son sang qui se fige.

Un cœur tendre, qui hait le néant vaste et noir,
Du passé lumineux recueille tout vestige !
15 Le soleil s'est noyé dans son sang qui se fige...
Ton souvenir en moi luit comme un ostensoir[3] !

Les Fleurs du mal, « Spleen et Idéal ».

L'albatros

Confronté à la médiocrité d'« une société absolument usée, – pire qu'usée – abrutie et goulue, n'ayant d'amour que pour la possession » (Critique littéraire, Madame Bovary, *1857), le poète éprouve le sentiment d'être maudit ; son orgueil blessé l'invite à chercher dans le ciel sa véritable patrie. Peut-être ces vers ont-ils été inspirés par une scène vécue sur le bateau au cours du voyage à la Réunion (1841) ; le martyre de l'albatros n'est pas sans rappeler le sacrifice « sublime » du pélican de Musset (voir p. 70).*

---

1. Cassolette suspendue par des chaînettes où l'on brûle l'encens dans les églises. **2.** Autel orné de draperies et de fleurs où l'on s'arrête dans les processions religieuses. **3.** Cadre d'or ou d'argent, généralement circulaire et orné de rayons comme un soleil, dans lequel est exposée l'hostie consacrée pour être adorée par les croyants.

1 Souvent, pour s'amuser, les hommes d'équipage
Prennent des albatros, vastes oiseaux des mers,
Qui suivent, indolents compagnons de voyage,
Le navire glissant sur les gouffres amers.

5 À peine les ont-ils déposés sur les planches,
Que ces rois de l'azur, maladroits et honteux,
Laissent piteusement leurs grandes ailes blanches
Comme des avirons traîner à côté d'eux.

Ce voyageur ailé, comme il est gauche et veule !
10 Lui, naguère si beau, qu'il est comique et laid !
L'un agace son bec avec un brûle-gueule[1],
L'autre mime, en boitant, l'infirme qui volait !

Le Poète est semblable au prince des nuées
Qui hante la tempête et se rit de l'archer[2] ;
15 Exilé sur le sol au milieu des huées,
Ses ailes de géant l'empêchent de marcher.

Les Fleurs du mal, « Spleen et Idéal »

L'homme et la mer

Qu'elle soit le cadre des « odyssées » lointaines, pour permettre à tous les Ulysse de faire « un beau voyage » (p. 23) et à tous les conquérants de poursuivre leur rêve (p. 86), qu'elle soit le linceul des marins intrépides (p. 58) ou la métaphore privilégiée des tempêtes de l'amour (p. 33), la mer est bien ce « miroir » indéfiniment tendu à l'homme pour venir se perdre dans ses « gouffres amers ». Rien « ne retiendra ce cœur qui dans la mer se trempe » (Mallarmé, « Brise Marine », p. 92).

1 Homme libre, toujours tu chériras la mer !
La mer est ton miroir ; tu contemples ton âme

---

1. Pipe de marin à tuyau court. 2. À l'origine, un archer est un chasseur ou un soldat armé d'un arc ; par extension, le terme désigne un agent de police sous l'Ancien Régime.

Dans le déroulement infini de sa lame,
Et ton esprit n'est pas un gouffre moins amer.

5 Tu te plais à plonger au sein de ton image ;
Tu l'embrasses des yeux et des bras, et ton cœur
Se distrait quelquefois de sa propre rumeur
Au bruit de cette plainte indomptable et sauvage.

Vous êtes tous les deux ténébreux et discrets :
10 Homme, nul n'a sondé le fond de tes abîmes,
Ô mer, nul ne connaît tes richesses intimes,
Tant vous êtes jaloux de garder vos secrets !

Et cependant voilà des siècles innombrables
Que vous vous combattez sans pitié ni remords,
15 Tellement vous aimez le carnage et la mort,
Ô lutteurs éternels, ô frères implacables !

Les Fleurs du mal, « Spleen et Idéal »

Les chats

Baudelaire éprouve une telle fascination pour les chats qu'il leur consacre plusieurs œuvres : à côté de ce sonnet, deux autres poèmes dans « Spleen et Idéal », intitulés « Le chat », chantent leurs « prunelles pâles, mêlées de métal et d'agate », leur « corps électrique », leur fourrure embaumée et leur démarche « élastique ». Le charme énigmatique du félin y est mis en « correspondance » *avec celui de la femme pour qui le poète ressent la même attirance troublante : l'un comme l'autre rappellent à l'homme sa part d'animalité ! « L'invocation à Dieu, ou spiritualité, est un désir de monter en grade ; celle de Satan, ou animalité, est une joie de descendre. C'est à cette dernière que doivent être rapportées les amours pour les femmes et les conversations intimes avec les animaux, chiens, chats, etc. »* (Mon cœur mis à nu, *1860-1866*).

1 Les amoureux fervents et les savants austères
Aiment également, dans leur mûre saison,
Les chats puissants et doux, orgueil de la maison,
Qui comme eux sont frileux et comme eux sédentaires.

5 Amis de la science et de la volupté
Ils cherchent le silence et l'horreur des ténèbres ;
L'Érèbe[1] les eût pris pour ses coursiers[2] funèbres,
S'ils pouvaient au servage incliner leur fierté.

Ils prennent en songeant les nobles attitudes
10 Des grands sphinx[3] allongés au fond des solitudes,
Qui semblent s'endormir dans un rêve sans fin ;

Leurs reins féconds sont pleins d'étincelles magiques,
Et des parcelles d'or, ainsi qu'un sable fin,
Étoilent vaguement leurs prunelles mystiques.

Les Fleurs du mal, « Spleen et Idéal »

Spleen

Quatre poèmes successifs portent le titre de « Spleen » dans la section des Fleurs du mal *intitulée « Spleen et Idéal » (celui qui est ici présenté est le dernier). Emprunté à l'anglais vers 1745, le terme désigne la rate (en grec* splèn*) comme siège organique de cette « humeur noire » (au sens physique de bile) qui se dit précisément* mélancholia *en grec. Le* spleen *baudelairien s'applique à l'état « dépressif » de l'être accablé physiquement et moralement par le dégoût d'exister. Entre gouffre et azur, entre enfer et ciel, le poète est condamné à l'« ici » du quotidien : ennui et angoisse, dont seul peut le délivrer un « ailleurs » à vivre par le rêve ou dans les « paradis artificiels ».*

1 Quand le ciel bas et lourd pèse comme un couvercle
Sur l'esprit gémissant en proie aux longs ennuis,
Et que de l'horizon embrassant tout le cercle
Il nous verse un jour noir plus triste que les nuits ;

---

1. Fils de Chaos et frère de Nuit, Érèbe est la personnification des Ténèbres des Enfers dans la mythologie grecque. 2. Chevaux mythologiques, attelés au char de la nuit. 3. Animal fabuleux que les Égyptiens, puis les Grecs anciens, imaginaient doté d'un corps de fauve et d'un buste humain (ainsi le grand sphinx de pierre du plateau de Gizeh, près du Caire).

5 Quand la terre est changée en un cachot humide,
Où l'Espérance, comme une chauve-souris,
S'en va battant les murs de son aile timide
Et se cognant la tête à des plafonds pourris ;

Quand la pluie étalant ses immenses traînées
10 D'une vaste prison imite les barreaux,
Et qu'un peuple muet d'infâmes araignées
Vient tendre ses filets au fond de nos cerveaux,

Des cloches tout à coup sautent avec furie
Et lancent vers le ciel un affreux hurlement,
15 Ainsi que des esprits errants et sans patrie
Qui se mettent à geindre opiniâtrement.

– Et de longs corbillards, sans tambours ni musique,
Défilent lentement dans mon âme ; l'Espoir,
Vaincu, pleure, et l'Angoisse atroce, despotique,
20 Sur mon crâne incliné plante son drapeau noir.

Les Fleurs du mal, « Spleen et Idéal »

L'Invitation au voyage

« L'Invitation au voyage », sans doute l'une des créations poétiques les plus mélodieuses dans la langue française, paraît en 1855. Sous le même titre, un « poème en prose » est publié deux ans après celui-ci dans ce recueil que Baudelaire aurait appelé Petits poèmes en prose *ou* Le Spleen de Paris, *s'il n'était mort avant de l'avoir achevé (1867). Il y développe le même désir de s'évader avec l'aimée vers une terre de bonheur qui lui ressemble. Un élan créateur qui rappelle la musique de Weber (rondo pour piano) déjà évoquée par Nerval : « Un musicien a écrit l'*Invitation à la valse*; quel est celui qui composera l'*Invitation au voyage, *qu'on puisse offrir à la femme aimée, à la sœur d'élection ? (« L'Invitation au voyage »,* Petits poèmes en prose*).*

« ... C'est là qu'il faut aller vivre, c'est là qu'il faut aller mourir ! » (ibidem) *: l'invitation au voyage s'achève dans l'anéantissement de l'être. Puisque l'« éclair » du plaisir*

conduit aux portes de la (petite) Mort, celle des amants est leur seul « vrai pays de Cocagne ».

1 Mon enfant, ma sœur,
Songe à la douceur
D'aller là-bas vivre ensemble !
Aimer à loisir,
5 Aimer et mourir
Au pays qui te ressemble !
Les soleils mouillés
De ces ciels brouillés
Pour mon esprit ont les charmes
10 Si mystérieux
De tes traîtres yeux,
Brillant à travers leurs larmes.

Là, tout n'est qu'ordre et beauté,
Luxe, calme et volupté.

15 Des meubles luisants,
Polis par les ans,
Décoreraient notre chambre ;
Les plus rares fleurs
Mêlant leurs odeurs
20 Aux vagues senteurs de l'ambre,
Les riches plafonds,
Les miroirs profonds,
La splendeur orientale,
Tout y parlerait
25 À l'âme en secret
Sa douce langue natale.

Là, tout n'est qu'ordre et beauté,
Luxe, calme et volupté.

Vois sur ces canaux
30 Dormir ces vaisseaux
Dont l'humeur est vagabonde ;
C'est pour assouvir
Ton moindre désir
Qu'ils viennent du bout du monde.
35 – Les soleils couchants

Revêtent les champs,
Les canaux, la ville entière,
D'hyacinthe et d'or ;
Le monde s'endort
40 Dans une chaude lumière.

Là, tout n'est qu'ordre et beauté,
Luxe, calme et volupté.

Les Fleurs du mal, « Spleen et Idéal »

La Mort des amants

1 Nous aurons des lits pleins d'odeurs légères,
Des divans profonds comme des tombeaux,
Et d'étranges fleurs sur des étagères,
Écloses pour nous sous des cieux plus beaux.

5 Usant à l'envi leurs chaleurs dernières,
Nos deux cœurs seront deux vastes flambeaux,
Qui réfléchiront leurs doubles lumières
Dans nos deux esprits, ces miroirs jumeaux.

Un soir fait de rose et de bleu mystique,
10 Nous échangerons un éclair unique,
Comme un long sanglot, tout chargé d'adieux ;

Et plus tard un Ange, entr'ouvrant les portes,
Viendra ranimer, fidèle et joyeux,
Les miroirs ternis et les flammes mortes.

Les Fleurs du mal, « La Mort »

SULLY PRUDHOMME
1839-1907

Le long du quai

Sans avoir la virtuosité des grands poètes parnassiens, Sully Prudhomme explore à sa façon les voies de « l'art pour l'art » et confie à l'écriture poétique « les affections obscures et ténues de l'âme ». Ce petit poème joue sur le pittoresque traditionnel des bateaux au mouillage : « Les formes élancées des navires, au gréement compliqué, auxquels la houle imprime des oscillations harmonieuses, servent à entretenir dans l'âme le goût du rythme et de la beauté », constatait Baudelaire dans son petit poème en prose intitulé « Le port » (1864).

1 Le long du quai les grands vaisseaux,
Que la houle incline en silence,
Ne prennent pas garde aux berceaux
Que la main des femmes balance.

5 Mais viendra le jour des adieux ;
Car il faut que les femmes pleurent
Et que les hommes curieux
Tentent les horizons qui leurrent.

Et ce jour-là les grands vaisseaux,
10 Fuyant le port qui diminue,
Sentent leur masse retenue
Par l'âme des lointains berceaux.

Mélanges

JOSÉ MARIA DE HEREDIA
1842-1905

Les conquérants

Seule la Beauté est la récompense, l'authentique « trophée » de celui qui exalte « l'amour de la poésie pure et du pur langage français », selon les propres termes de José Maria de Heredia, pour reprendre le flambeau parnassien de ses maîtres, Gautier et Leconte de Lisle. Comme une nouvelle « légende des siècles », les cent dix-huit sonnets des Trophées *(1893) ressuscitent les mythes de l'Antiquité et des civilisations disparues. Le recueil s'achève sur l'épopée des « conquérants » de la Renaissance auxquels Heredia ne consacre pas moins de huit sonnets, en hommage à ses ancêtres qui avaient colonisé son île natale de Cuba. Celui-ci est resté le plus célèbre.*

1 Comme un vol de gerfauts[1] hors du charnier[2] natal,
Fatigués de porter leurs misère hautaines,
De Palos de Moguer[3], routiers[4] et capitaines
Partaient, ivres d'un rêve héroïque et brutal.

1. Oiseau de proie, espèce de grand faucon utilisé au Moyen Âge pour la chasse. 2. L'aire où ces oiseaux apportent les cadavres de leurs proies. 3. C'est à Palos, avant-port de Moguer en Andalousie, que Christophe Colomb s'embarqua le 3 août 1492 pour ce qui n'était pas encore « l'Amérique ». 4. Soldats en quête de butin.

5 Ils allaient conquérir le fabuleux métal
Que Cipango[1] mûrit[2] dans ses mines lointaines,
Et les vents alizés[3] inclinaient leurs antennes[4]
Aux bords mystérieux du monde occidental.

Chaque soir, espérant des lendemains épiques,
10 L'azur phosphorescent de la mer des Tropiques
Enchantait leur sommeil d'un mirage doré ;

Ou, penchés à l'avant des blanches caravelles[5],
Ils regardaient monter en un ciel ignoré
Du fond de l'Océan des étoiles nouvelles[6].

Les Trophées, « Le Moyen Âge et la Renaissance »

Soleil couchant

Recherche d'un vocabulaire précieux, virtuosité du rythme, effets sonores, goût du spectaculaire : Les Trophées *passent souvent pour un chef-d'œuvre froid de poésie exotique, dans un drapé « façon péplum » (« Rome et les Barbares »). Mais on y trouve aussi quelques « miniatures » d'un lyrisme plus simple et plus intimiste, comme ce paisible paysage de Bretagne évoqué dans la partie du recueil intitulée « La Nature et le Rêve ».*

1 Les ajoncs éclatants, parure du granit,
Dorent l'âpre sommet que le couchant allume ;
Au loin, brillante encor par sa barre d'écume,
La mer sans fin commence où la terre finit.

---

1. Nom du Japon sur les cartes du Moyen Âge (Colomb en avait fait le but de son expédition). **2.** Selon les alchimistes, les métaux étaient une substance plus ou moins « mûrie » dans le sol, dont l'or constituait l'état le plus parfait. **3.** Vents tropicaux réguliers soufflant d'est en ouest. **4.** Cordages soutenant les voiles. **5.** Vaisseaux portugais à grandes voiles blanches triangulaires. **6.** Les constellations de l'hémisphère austral, comme la Croix du Sud, que les navigateurs découvrent.

5 À mes pieds c'est la nuit, le silence. Le nid
Se tait, l'homme est rentré sous le chaume qui fume ;
Seul, l'Angélus[1] du soir, ébranlé dans la brume,
À la vaste rumeur de l'Océan s'unit.

Alors, comme du fond d'un abîme, des traînes[2],
10 Des landes, des ravins, montent des voix lointaines
De pâtres attardés ramenant le bétail.

L'horizon tout entier s'enveloppe dans l'ombre,
Et le soleil mourant, sur un ciel riche et sombre,
Ferme les branches d'or de son rouge éventail.

Les Trophées, « La Nature et le Rêve »

---

1. Sonnerie de cloches pour indiquer aux fidèles chrétiens l'heure de la prière qui commence par le mot latin *Angelus* (Ange). **2.** Chemins creux bordés d'arbres.

CHARLES CROS
1842-1888

Le hareng saur

Dans son odorant Coffret de santal, *le seul recueil publié de son vivant (1873), Charles Cros a prévenu son lecteur dès la* Préface *:*

« Quel encombrement dans ce coffre !

Je vends tout. Accepte mon offre... »

Il ne faut donc guère être surpris d'y sentir le parfum incongru du hareng fumé ! Ce poème connut un grand succès dans les soirées des cabarets parisiens à la fin du XIXe *siècle. Aujourd'hui encore les chansonniers, comme les Frères Jacques, aiment le mettre à leur programme car la parole du poète y communique son « tempo » au talent du mime.*

1 Il était un grand mur blanc – nu, nu, nu,
Contre le mur une échelle – haute, haute, haute,
Et, par terre, un hareng saur – sec, sec, sec.

Il vient, tenant dans ses mains – sales, sales, sales,
5 Un marteau lourd, un grand clou – pointu, pointu,
Un peloton de ficelle – gros, gros, gros. [pointu,

Alors il monte à l'échelle – haute, haute, haute,
Et plante le clou pointu – toc, toc, toc,
Tout en haut du grand mur blanc – nu, nu, nu.

10 Il laisse aller le marteau – qui tombe, qui tombe, qui [tombe,
Attache au clou la ficelle – longue, longue, longue,
Et, au bout, le hareng saur – sec, sec, sec.

Il redescend de l'échelle – haute, haute, haute.
L'emporte avec le marteau – lourd, lourd, lourd;
15 Et puis, il s'en va ailleurs – loin, loin, loin.

Et, depuis le hareng saur – sec, sec, sec,
Au bout de cette ficelle – longue, longue, longue,
Très lentement se balance – toujours, toujours, [toujours.

J'ai composé cette histoire – simple, simple, simple,
20 Pour mettre en fureur les gens – graves, graves, [graves,
Et amuser les enfants – petits, petits, petits.

Le Coffret de santal, « Grains de sel ».

STÉPHANE MALLARMÉ
1842-1898

Apparition

Composé par Mallarmé en 1863 pour célébrer la fiancée de son ami Cazalis, mais aussi la sienne, ce poème de jeunesse transpose la vision rêvée d'un tableau préraphaélite, tels ceux que le professeur d'anglais par nécessité, artiste par vocation, a pu admirer pendant un séjour à Londres.

1 La lune s'attristait. Des séraphins[1] en pleurs
Rêvant, l'archet aux doigts, dans le calme des fleurs
Vaporeuses, tiraient de mourantes violes[2]
De blancs sanglots glissant sur l'azur des corolles.
5 – C'était le jour béni de ton premier baiser.
Ma songerie aimant à me martyriser
S'enivrait savamment du parfum de tristesse
Que même sans regret et sans déboire laisse
La cueillaison d'un Rêve au cœur qui l'a cueilli.
10 J'errais donc, l'œil rivé sur le pavé vieilli
Quand avec du soleil aux cheveux, dans la rue
Et dans le soir, tu m'es en riant apparue
Et j'ai cru voir la fée au chapeau de clarté
Qui jadis sur mes beaux sommeils d'enfant gâté
15 Passait, laissant toujours de ses mains mal fermées
Neiger de blancs bouquets d'étoiles parfumées.

Premiers Poèmes

---

1. Anges représentés avec trois paires d'ailes. **2.** Instruments de musique à cordes et à archet.

Brise marine

Avec Baudelaire et Rimbaud, Mallarmé vit l'expérience poétique comme « la grande aventure intérieure » où l'Art devient un itinéraire spirituel, entre la soif d'Idéal et la hantise du Néant. L'appel du large et la tentation de fuir l'Ennui du quotidien dans un impossible exotisme se font ici l'écho direct de l'invitation au voyage baudelairienne. Le poème est daté de 1865.

1 La chair est triste, hélas ! et j'ai lu tous les livres.
Fuir ! là-bas fuir ! Je sens que des oiseaux sont ivres
D'être parmi l'écume inconnue et les cieux !
Rien, ni les vieux jardins reflétés par les yeux
5 Ne retiendra ce cœur qui dans la mer se trempe
Ô nuits ! ni la clarté déserte de ma lampe[1]
Sur le vide papier que la blancheur défend
Et ni la jeune femme allaitant son enfant[2].
Je partirai ! Steamer[3] balançant ta mâture,
10 Lève l'ancre pour une exotique nature !

Un Ennui, désolé par les cruels espoirs,
Croit encore à l'adieu suprême des mouchoirs !
Et, peut-être, les mâts, invitant les orages,
Sont-ils de ceux qu'un vent penche sur les naufrages
15 Perdus, sans mâts, sans mâts, ni fertiles îlots...
Mais, ô mon cœur, entends le chant des matelots !

Poésies

« Le vierge, le vivace... »

Héritée des maîtres du Parnasse et des Fleurs *baudelairiennes, la quête de « l'œuvre pure » est comme l'obsession d'un ailleurs céleste :* « Je suis hanté. *L'Azur ! l'Azur !*

---

1. Allusion aux longues nuits solitaires de labeur poétique. **2.** La fille de Mallarmé, Geneviève, est née en novembre 1864. **3.** Terme anglais désignant un bateau à vapeur.

l'Azur ! l'Azur ! », proclame le dernier vers de « L'Azur », écrit en 1864. Mais la poésie est aussi « laborieuse », fruit d'un travail acharné sur le langage, sur l'agencement des mots dans leurs sonorités comme dans leur syntaxe. Ici le Cygne pris dans les glaces, c'est aussi le Signe de l'écriture enfermée dans l'espace « vierge » de la page blanche. Le sonnet a été écrit en 1885 et publié en 1887.

1 Le vierge, le vivace et le bel aujourd'hui
Va-t-il nous déchirer avec un coup d'aile ivre
Ce lac dur oublié que hante sous le givre
Le transparent glacier des vols qui n'ont pas fui !

5 Un cygne d'autrefois se souvient que c'est lui
Magnifique mais qui sans espoir se délivre
Pour n'avoir pas chanté la région où vivre
Quand du stérile hiver a resplendi l'ennui.

Tout son col secouera cette blanche agonie
10 Par l'espace infligé à l'oiseau qui le nie,
Mais non l'horreur du sol où le plumage est pris.

Fantôme qu'à ce lieu son pur éclat assigne,
Il s'immobilise au songe froid de mépris
Que vêt parmi l'exil inutile le Cygne.

Poésies

Sonnet en *yx*

Le fameux sonnet en « yx », paru en 1887 après avoir été « travaillé » pendant vingt ans, collectionne les mots rares comme autant d'« abolis bibelots d'inanité sonore ». La poésie de l'hermétisme demande à celui qui l'écoute non pas d'être traduite dans un langage plus facile, mais d'être vécue comme l'expérience même de ce travail (au sens d'un accouchement) de l'écriture. Extrême densité du verbe poétique, expérience limite du symbolisme : la tentative d'« Un coup de dés jamais n'abolira le hasard », étrange poème « graphique » paru à la veille de la mort de Mallarmé, finira

par lancer les mots sur la page comme un défi à la poésie moderne.

1 Ses purs ongles très haut dédiant leur onyx[1],
L'Angoisse, ce minuit, soutient, lampadophore[2],
Maint rêve vespéral[3] brûlé par le Phénix[4]
Que ne recueille pas de cinéraire amphore[5].

5 Sur les crédences[6], au salon vide : nul ptyx[7],
Aboli bibelot d'inanité sonore,
(Car le Maître est allé puiser des pleurs au Styx[8]
Avec ce seul objet dont le Néant s'honore).

Mais proche la croisée au nord vacante, un or
10 Agonise selon peut-être le décor
Des licornes ruant du feu contre une nixe[9],

Elle, défunte nue en le miroir, encor
Que, dans l'oubli fermé par le cadre, se fixe
De scintillations sitôt le septuor[10].

Poésies

Le tombeau d'Edgar Poe

« Poe montrait une voie, il enseignait une doctrine très séduisante et très rigoureuse, dans laquelle une sorte de mathématique et une sorte de mystique s'unissaient » (Paul Valéry, Variété II, ***1924-1944). Mallarmé considère l'Américain Edgar Allan Poe (1809-1849) comme son maître en poésie, au même titre que Baudelaire, qui avait précisément fait découvrir au public français le spécialiste du fantastique***

---

1. Variété d'agate, pierre translucide comme un ongle. **2.** Littéralement « porte-flambeaux », substantif tiré du grec, apposé à l'« Angoisse ». **3.** Du soir. **4.** Oiseau fabuleux qui renaissait de ses cendres après avoir brûlé sur un bûcher. **5.** Vase destiné à recueillir les cendres d'un mort. **6.** Petits buffets ou consoles. **7.** Tablette ou feuillet pour écrire. **8.** Fleuve des Enfers. **9.** Génie ou nymphe des eaux dans les légendes germaniques. **10.** Composition musicale en sept parties ou formation instrumentale de sept membres.

*en traduisant plusieurs de ses nouvelles (*Histoires extraordinaires, *1856,* Nouvelles histoires extraordinaires, *1857). Mallarmé a lui-même traduit plusieurs poèmes de celui en qui il voit « le cas littéraire absolu » (1888). En 1875, un comité fait ériger un monument sur la tombe d'Edgar Poe à Baltimore : sollicité pour participer à un volume commémoratif, Mallarmé envoie ce sonnet en 1876.*

1 Tel qu'en Lui-même enfin l'éternité le change,
Le poète suscite avec un glaive nu[1]
Son siècle épouvanté de n'avoir pas connu[2]
Que la mort triomphait dans cette voix étrange[3] !

5 Eux, comme un vil sursaut d'hydre[4] oyant jadis l'ange
Donner un sens plus pur aux mots de la tribu,
Proclamèrent très haut le sortilège bu
Dans le flot sans honneur de quelque noir mélange[5].

Du sol et de la nue hostiles, ô grief !
10 Si notre idée avec ne sculpte un bas-relief
Dont la tombe de Poe éblouissante s'orne,

Calme bloc ici-bas chu d'un désastre obscur[6],
Que ce granit du moins montre à jamais sa borne
Aux noirs vols du Blasphème épars dans le futur !

« Le tombeau d'Edgar Poe »

---

1. Attribut d'un archange **2.** Reconnu, compris. **3.** La mort hantait l'imagination de Poe (voir ses nouvelles *La Chute de la maison Usher, Morella, Ligeia, Bérénice, Le Portrait ovale,* etc.). **4.** La foule est assimilée au monstre mythologique à sept têtes. **5.** On disait qu'Edgar Poe puisait son inspiration dans l'alcool. **6.** Tel un « aérolithe », le bloc de pierre monumental symbolise la poésie de Poe, « météore » tombé du ciel (selon les expressions mêmes de Mallarmé).

PAUL VERLAINE
1844-1896

Art poétique
Chanson d'automne

*Tous écrits entre 1865 et 1885, les poèmes de Verlaine développent une conception très personnelle de l'écriture poétique que le mouvement symboliste s'empresse de revendiquer. Mais l'auteur d'*Art poétique*, écrit en 1874, publié en 1882, et finalement inclus dans le recueil* Jadis et Naguère *(1884), affirmait lui-même que ce « n'était qu'une chanson » à ne « pas prendre au pied de la lettre ». Avec humour, il refusait toute étiquette : « Le symbolisme ?... comprends pas... Ça doit être un mot allemand, hein ? Qu'est-ce que ça peut bien vouloir dire ? Moi, d'ailleurs, je m'en fiche. Quand je souffre, quand je jouis ou quand je pleure, je sais bien que ça n'est pas du symbole... j'écris sans autre règle que l'instinct que je crois avoir de la belle écriture, comme ils disent ! » (*Œuvres en prose, *Réponse à une enquête de 1891).*

Les fameux « sanglots longs » de la Chanson d'automne *restent sans doute la plus célèbre illustration de ce travail poétique qui confère au poète-artisan la noblesse du grand art. La chanson de Serge Gainsbourg, « Je suis venu te dire que je m'en vais » (1974), lui rend un récent hommage :*

« Je suis venu te dire que je m'en vais
Tes sanglots longs n'y pourront rien changer
Comme dit si bien Verlaine "Au vent mauvais"
Je suis venu te dire que je m'en vais
Tu te souviens des jours heureux et tu pleures... »

1 De la musique avant toute chose,
Et pour cela préfère l'Impair
Plus vague et plus soluble dans l'air,
Sans rien en lui qui pèse ou qui pose.

5 Il faut aussi que tu n'ailles point
Choisir tes mots sans quelque méprise :
Rien de plus cher que la chanson grise
Ou l'Indécis au Précis se joint.

C'est des beaux yeux derrière des voiles,
10 C'est le grand jour tremblant de midi,
C'est, par un ciel d'automne attiédi,
Le bleu fouillis des claires étoiles !

Car nous voulons la Nuance encor,
Pas la Couleur, rien que la nuance !
15 Oh ! la nuance seule fiance
Le rêve au rêve et la flûte au cor !

Fuis du plus loin la Pointe assassine,
L'Esprit cruel et le Rire impur,
Qui font pleurer les yeux de l'Azur,
20 Et tout cet ail de basse cuisine !

Prends l'éloquence et tords-lui son cou !
Tu feras bien, en train d'énergie,
De rendre un peu la Rime assagie.
Si l'on n'y veille, elle ira jusqu'où ?

25 Ô qui dira les torts de la Rime ?
Quel enfant sourd ou quel nègre fou
Nous a forgé ce bijou d'un sou
Qui sonne creux et faux sous la lime ?

De la musique encore et toujours !
30 Que ton vers soit la chose envolée
Qu'on sent qui fuit d'une âme en allée
Vers d'autres cieux à d'autres amours.

Que ton vers soit la bonne aventure
Éparse au vent crispé du matin

35 Qui va fleurant la menthe et le thym...
Et tout le reste est littérature.

Jadis et Naguère

1 Les sanglots longs
Des violons
  De l'automne
Blessent mon cœur
5 D'une langueur
  Monotone.

Tout suffocant
Et blême, quand
  Sonne l'heure,
10 Je me souviens
Des jours anciens
  Et je pleure ;

Et je m'en vais
Au vent mauvais
15 Qui m'emporte
Deçà, delà,
Pareil à la
  Feuille morte.

Poèmes saturniens

Mon rêve familier

« L'homme, qui était sous le jeune homme un peu pédant que j'étais alors, jetait parfois ou plutôt soulevait le masque et s'exprimait en plusieurs petits poèmes tendrement. Ces vers témoignaient dès lors d'une certaine pente à une mélancolie tour à tour sensuelle et rêveusement mystique » (Conférence tenue à Anvers en 1893), ainsi Verlaine jugeait-il son œuvre de jeunesse regroupée sous le titre de Poèmes saturniens *(1866). Peu à peu dégagé de l'influence du mouvement parnassien, le poète trace la voie d'un lyrisme évanescent : le thème romantique traditionnel de la Femme idéale se nourrit dans ce sonnet de l'étrangeté du rêve.*

1 Je fais souvent ce rêve étrange et pénétrant
D'une femme inconnue, et que j'aime, et qui
[m'aime,
Et qui n'est, chaque fois, ni tout à fait la même
Ni tout à fait une autre, et m'aime et me comprend.

5 Car elle me comprend, et mon cœur, transparent
Pour elle seule, hélas ! cesse d'être un problème
Pour elle seule, et les moiteurs de mon front blême,
Elle seule les sait rafraîchir, en pleurant.

Est-elle brune, blonde ou rousse ? – Je l'ignore.
10 Son nom ? Je me souviens qu'il est doux et sonore
Comme ceux des aimés que la Vie exila.

Son regard est pareil au regard des statues,
Et, pour sa voix, lointaine, et calme, et grave, elle a
14 L'inflexion des voix chères qui se sont tues.

Poèmes saturniens

« Il pleure dans mon cœur... »
« Le ciel est, par-dessus le toit... »

Les Romances sans paroles *(1874) et* Sagesse *(1881) constituent une sorte de diptyque poétique dans l'œuvre de Verlaine, mis en musique par Claude Debussy, Gabriel Fauré et Renaldo Hahn : dans le premier recueil, composé au moment de l'aventure avec Rimbaud, la mélodie des « ariettes oubliées » s'accorde avec la langueur indéfinissable de la sensation. Dans le second, regroupant des poèmes écrits pendant l'emprisonnement en Belgique, s'expriment le repentir, après la violence de la séparation, et l'appel d'une conversion spirituelle avec la tenace nostalgie d'une innocence perdue.*

1 Il pleure dans mon cœur
Comme il pleut sur la ville ;
Quelle est cette langueur
Qui pénètre mon cœur ?

5 Ô bruit doux de la pluie
Par terre et sur les toits !
Pour un cœur qui s'ennuie
Ô le chant de la pluie !

Il pleure sans raison
10 Dans ce cœur qui s'écœure.
Quoi ! nulle trahison ?...
Ce deuil est sans raison.

C'est bien la pire peine
De ne savoir pourquoi
15 Sans amour et sans haine
Mon cœur a tant de peine !

Romances sans paroles

1 Le ciel est, par-dessus le toit,
Si bleu, si calme !
Un arbre, par-dessus le toit,
Berce sa palme.

5 La cloche, dans le ciel qu'on voit,
Doucement tinte.
Un oiseau sur l'arbre qu'on voit
Chante sa plainte.

Mon Dieu, mon Dieu, la vie est là,
10 Simple et tranquille.
Cette paisible rumeur-là
Vient de la ville.

– Qu'as-tu fait, ô toi que voilà
Pleurant sans cesse,
15 Dis, qu'as-tu fait, toi que voilà,
De ta jeunesse ?

Sagesse

TRISTAN CORBIÈRE
1845-1875

Petit mort pour rire

Un prénom à l'image d'une vie : triste et solitaire. Disgracié par la nature, malheureux en amour, Édouard – Tristan – Corbière « écrit jaune » comme on « rit jaune », pour cacher ses larmes. Il dissimule sa souffrance d'exister dans un effort violent d'autodérision provocatrice, mais les morsures de son ironie ne viennent pas toujours à bout de la tendresse nostalgique d'un enfant poète trop fragile.

1 Va vite, léger peigneur de comètes !
Les herbes au vent seront tes cheveux ;
De ton œil béant jailliront les feux
Follets, prisonniers dans les pauvres têtes...

5 Les fleurs de tombeau qu'on nomme Amourettes
Foisonneront plein ton rire terreux...
Et les myosotis, ces fleurs d'oubliettes[1]...

Ne fais pas le lourd : cercueils de poètes
Pour les croque-morts sont de simples jeux,
10 Boîtes à violon qui sonnent le creux...
Ils te croiront mort – Les bourgeois sont bêtes –
Va vite, léger peigneur de comètes !

Les Amours jaunes, « Rondels pour après »

---

1. En anglais, myosotis se dit « forget-me-not », « ne m'oublie pas ».

ARTHUR RIMBAUD
1854-1891

Ma bohème

« À sept ans, il faisait des romans, sur la vie
Du grand désert, où luit la Liberté ravie... »
(« Les poètes de sept ans »)

À seize, le poète prodige s'évadait de Charlestown (Charleville) pour des fugues lointaines. Ce célèbre sonnet en garde le souvenir amusé. « Ah ! cette vie de mon enfance, la grande route par tous les temps, sobre surnaturellement, plus désintéressé que le meilleur des mendiants, fier de n'avoir ni pays, ni amis, quelle sottise c'était. – Et je m'en aperçois seulement ! » (« L'Impossible », Une Saison en enfer, *1873). Quelques années plus tard, « l'homme aux semelles de vent » (la formule est de Verlaine) s'évadera encore : dans le désert d'Abyssinie, il semble alors renoncer à toute forme d'écriture pour se faire trafiquant d'armes et d'ivoire. Pourtant un autre grand poète, René Char, lui rend le plus beau des hommages en lui donnant à jamais raison : « Tu as bien fait de partir, Arthur Rimbaud ! Nous sommes quelques-uns à croire sans preuve le bonheur possible avec toi. » (« La fontaine narrative »,* Fureur et mystère, *Gallimard, 1948).*

1 Je m'en allais, les poings dans mes poches crevées ;
Mon paletot aussi devenait idéal[1] :
J'allais sous le ciel, Muse ! et j'étais ton féal[2] ;
Oh ! là là ! que d'amours splendides j'ai rêvées !

5 Mon unique culotte avait un large trou.
– Petit-Poucet rêveur, j'égrenais dans ma course
Des rimes. Mon auberge était à la Grande-Ourse.
– Mes étoiles au ciel avaient un doux frou-frou

Et je les écoutais, assis au bord des routes,
10 Ces bons soirs de septembre[3] où je sentais des gouttes
De rosée à mon front, comme un vin de vigueur ;

Où, rimant au milieu des ombres fantastiques,
Comme des lyres, je tirais les élastiques
14 De mes souliers blessés, un pied près de mon cœur !

Poésies

Le dormeur du val

Daté d'octobre 1870, ce sonnet, sans doute le plus connu de Rimbaud, est inspiré par le désastre de la guerre de 1870 : c'est avec l'émouvante simplicité d'un tableau coloré d'apparence naïve que Rimbaud a choisi d'en dénoncer l'absurdité, lui qui déteste l'injustice et la petite bourgeoisie racornie.

1 C'est un trou de verdure où chante une rivière
Accrochant follement aux herbes des haillons
D'argent ; où le soleil, de la montagne fière,
Luit : c'est un petit val qui mousse de rayons.

5 Un soldat jeune, bouche ouverte, tête nue,
Et la nuque baignant dans le frais cresson bleu,

---

1. Au sens propre, le pardessus est devenu une « idée » de vêtement à cause de l'usure. **2.** Fidèle serviteur (terme moyenâgeux). **3.** Allusion à la première fugue de Rimbaud, parti le 29 août 1870.

Dort ; il est étendu dans l'herbe, sous la nue,
Pâle dans son lit vert où la lumière pleut.

Les pieds dans les glaïeuls, il dort. Souriant comme
10 Sourirait un enfant malade, il fait un somme :
Nature, berce-le chaudement : il a froid.

Les parfums ne font pas frissonner sa narine ;
Il dort dans le soleil, la main sur sa poitrine
Tranquille. Il a deux trous rouges au côté droit.

Poésies

Le bateau ivre

Sagement commencée par l'imitation des Romantiques et des Parnassiens, l'œuvre poétique du poète prodige se fait vite l'écho de sa révolte intérieure. La composition du « Bateau ivre » (1871) marque l'émergence de cette écriture nouvelle dont une lettre-programme dite « du voyant » (à Paul Demeny, 15 mai 1871) avait annoncé l'originalité : « Le poète se fait voyant *par un long, immense et raisonné* dérèglement de tous les sens. » *En quittant Charleville pour Paris, dans les derniers jours de septembre 1871, Rimbaud emportait cet étrange poème, nourri de souvenirs de lecture (Hugo, Baudelaire, Jules Verne, Edgar Poe), pour l'offrir à Verlaine qui lui avait écrit : « Venez, chère grande âme, on vous appelle, on vous attend. » Des vingt-cinq quatrains qui le composent, voici les huit premiers et les trois derniers. Selon la célèbre formule, « Je » est « un Autre » : ici le bateau lui-même emporté dans l'expérience d'un voyage onirique.*

1 Comme je descendais des Fleuves impassibles,
Je ne me sentis plus guidé par les haleurs :
Des Peaux-Rouges criards les avaient pris pour cibles,
Les ayant cloués nus aux poteaux de couleurs.

5 J'étais insoucieux de tous les équipages,
Porteur de blés flamands ou de cotons anglais.

Quand avec mes haleurs ont fini ces tapages,
Les Fleuves m'ont laissé descendre où je voulais.

Dans les clapotements furieux des marées,
10 Moi, l'autre hiver, plus sourd que les cerveaux [d'enfants,
Je courus ! Et les Péninsules démarrées[1]
N'ont pas subi tohu-bohus plus triomphants.

La tempête a béni mes éveils maritimes.
Plus léger qu'un bouchon j'ai dansé sur les flots
15 Qu'on appelle rouleurs éternels de victimes,
Dix nuits, sans regretter l'œil niais des falots[2] !

Plus douce qu'aux enfants la chair des pommes sures[3],
L'eau verte pénétra ma coque de sapin
Et des taches de vins bleus et des vomissures
20 Me lava, dispersant gouvernail et grappin.

Et dès lors, je me suis baigné dans le Poème
De la Mer, infusé d'astres, et lactescent[4],
Dévorant les azurs verts ; où[5], flottaison blême
Et ravie, un noyé pensif parfois descend ;

25 Où, teignant[6] tout à coup les bleuités[7], délires
Et rythmes lents sous les rutilements du jour,
Plus fortes que l'alcool, plus vastes que nos lyres,
Fermentent les rousseurs amères de l'amour !

Je sais les cieux crevant en éclairs, et les trombes
30 Et les ressacs et les courants : je sais le soir,
L'Aube exaltée ainsi qu'un peuple de colombes,
Et j'ai vu quelquefois ce que l'homme a cru voir !

[...]

Mais, vrai, j'ai trop pleuré ! Les Aubes sont navrantes,
Toute lune est atroce et tout soleil amer :
35 L'âcre amour m'a gonflé de torpeurs enivrantes.
Ô que ma quille éclate ! Ô que j'aille à la mer !

---

1. Dont on a largué les amarres. **2.** Sorte de grandes lanternes. **3.** Au goût acide. **4.** Qui commence à prendre un aspect laiteux (latinisme). **5.** À rattacher à « Poème » (vers 21). **6.** Se rapporte à « rousseurs » (vers 28). **7.** Néologisme que Rimbaud emploie aussi dans « Les premières communions » ; dans « Les mains de Jeanne-Marie », il forge « bleuisons ».

Si je désire une eau d'Europe, c'est la flache[1]
Noire et froide où vers le crépuscule embaumé
Un enfant accroupi plein de tristesses, lâche
40 Un bateau frêle comme un papillon de mai.

Je ne puis plus, baigné de vos langueurs, ô lames,
Enlever leur sillage[2] aux porteurs de cotons,
Ni traverser l'orgueil des drapeaux et des flammes[3],
Ni nager sous les yeux horribles des pontons[4].

Poésies

Voyelles

Avant Verlaine, Rimbaud a réalisé sa propre révolution poétique en se forgeant un art original avec la fierté des novateurs : « J'inventai la couleur des voyelles ! – A noir, E blanc, I rouge, O bleu, U vert. – Je réglai la forme et le mouvement de chaque consonne, et, avec des rythmes instinctifs, je me flattai d'inventer un verbe poétique accessible, un jour ou l'autre, à tous les sens. (...) J'écrivais des silences, des nuits, je notais l'inexprimable. », se souvient-il dans Une saison en enfer *(« Alchimie du Verbe », 1873). Le célèbre sonnet des « Voyelles », sans doute écrit au début de 1872, n'en finit pas d'intriguer par ses étranges associations ; on lui a prêté toutes les interprétations dont un critique réputé s'est moqué avec humour : « Voilà donc le miracle sans précédent, voilà donc ce chef-d'œuvre magico-alchimisto-kabbalisto-spiritualisto-psychopathologico-érotico-omégaïco-structuraliste. Voilà "Voyelles". On peut se demander en effet si le poète n'a pas simplement évoqué des objets colorés renvoyant à quelques thèmes qui lui sont chers : la mort, la vie, la nature, l'amour, la science. » (René Étiemble,* Le Mythe de Rimbaud, *1953*).

---

1. Terme régional ardennais pour « mare », « flaque ». **2.** C'est-à-dire « suivre de très près » en termes de navigation. **3.** Pavillons des navires. **4.** Bâtiments de guerre désaffectés, aménagés en prisons flottantes sous le Second Empire.

1 A noir, E blanc, I rouge, U vert, O bleu : voyelles,
Je dirai quelque jour vos naissances latentes :
A, noir corset velu des mouches éclatantes
Qui bombinent[1] autour des puanteurs cruelles[2],

5 Golfes d'ombre ; E, candeurs[3] des vapeurs et des
Lances des glaciers fiers, rois blancs, frissons [tentes,
[d'ombelles[4] ;
I, pourpres, sang craché, rire des lèvres belles
Dans la colère ou les ivresses pénitentes ;

U, cycles, vibrement divins des mers virides[5],
10 Paix des pâtis[6] semés d'animaux, paix des rides
Que l'alchimie imprime aux grands fronts studieux ;

O, suprême Clairon plein des strideurs[7] étranges,
Silences traversés des Mondes et des Anges :
– O l'Oméga[8], rayon violet de Ses Yeux !

Poésies

---

1. Bourdonnent, verbe forgé sur le latin *bombus* (bourdonnement des abeilles) ; Rimbaud l'emploie aussi dans « Les mains de Jeanne-Marie ». **2.** Au sens latin de « sanglantes ». **3.** Au sens latin de « blancheurs ». **4.** Petites fleurs formant une sorte de parasol. **5.** Du latin *viridis*, vert, verdoyant. **6.** Terres de pâturage. **7.** Bruits stridents (terme ancien). **8.** Dernière lettre de l'alphabet grec.

JULES LAFORGUE
1860-1887

Complainte de la lune en province

*« Il avait trop froid au cœur ; il s'en est allé » : une belle formule de Rémy de Gourmont (*Le Livre des masques, *1896) pour résumer une existence aussi triste que fugitive. Disparu trop tôt pour avoir eu le temps de consacrer le mouvement de ceux qui osaient se proclamer « décadents », Jules Laforgue revêt la silhouette d'un pathétique Pierrot lunaire, hanté par le tragique destin d'Hamlet dont il a fait son double littéraire. « Je ne suis qu'un viveur lunaire... Mais où sont les Lunes d'antan ? », confie-t-il dans l'un de ses poèmes (*Des fleurs de bonne volonté*). Sa* Complainte de la lune en province *(1885) ne peut manquer de rappeler la virtuosité de Musset, cet autre enfant prodige de la poésie, gagné avant lui par le mal du siècle.*

1 Ah ! la belle pleine Lune,
Grosse comme une fortune !

La retraite sonne au loin,
Un passant, monsieur l'adjoint ;

5 Un clavecin joue en face,
Un chat traverse la place !

La province qui s'endort !
Plaquant un dernier accord,

Le piano clôt sa fenêtre.

10 Quelle heure peut-il bien être ?

Calme Lune, quel exil !
Faut-il dire : ainsi soit-il ?

Lune, ô dilettante Lune,
À tous les climats commune,

15 Tu vis hier le Missouri,
Et les remparts de Paris,

Les fjords bleus de la Norvège,
Les pôles, les mers, que sais-je ?

Lune heureuse ! ainsi tu vois,
20 À cette heure, le convoi

De son voyage de noce !
Ils sont partis pour l'Écosse.

Quel panneau[1], si, cet hiver,
Elle eût pris au mot mes vers !

25 Lune, vagabonde Lune,
Faisons cause et mœurs communes ?

Ô riches nuits ! je me meurs,
La province dans le cœur !

Et la lune a, bonne vieille,
30 Du coton dans les oreilles.

Les Complaintes.

---

1. En terme de chasse, le panneau est un pan d'étoffe utilisé comme filet pour prendre le gibier, d'où l'expression familière « tomber dans le panneau » (dans le piège).

INDEX ALPHABÉTIQUE DES AUTEURS

BAUDELAIRE Charles : Né à Paris en 1821, orphelin de père dès 1827, il supporte mal le remariage de sa mère : placé en pension à Lyon, puis au lycée Louis-le-Grand, c'est un élève rêveur déjà atteint de « lourdes mélancolies ». Il lit beaucoup, admire les Romantiques et se déclare disciple de Théophile Gautier. Pour l'arracher à sa vie de bohème, sa famille l'embarque pour les Indes (1841) : de fait, il n'ira pas plus loin que l'île Bourbon (La Réunion). À son retour à Paris, il affiche l'élégance d'un « dandy » et s'éprend de l'actrice Jeanne Duval, sa « Vénus noire ». Il compose les premières pièces de ce qui deviendra son recueil poétique des *Fleurs du mal*. Scandalisée par son comportement, sa famille lui impose une décision judiciaire qui le limite à une très modeste pension mensuelle (1844) : désormais il vivra misérablement. Journaliste, critique d'art (*Salons*, 1845, 1846, 1859) et de littérature, traducteur des *Histoires extraordinaires* de l'Américain Edgar Allan Poe, il se consacre aux génies du siècle (Hugo, Delacroix, Manet, Wagner, entre autres) et forge ainsi sa propre esthétique de la « modernité ». En juin 1857 paraissent *Les Fleurs du mal* : succès de scandale, procès pour immoralité et censure (le recueil est « expurgé » de six poèmes). Très affecté, Baudelaire publie cependant une deuxième édition augmentée de trente-cinq pièces (1861). Miné par la maladie et les « paradis artificiels » de la drogue, il est atteint d'un grave malaise (1866) qui le laisse aphasique et à demi paralysé. Il meurt à Paris en 1867. Ses *Petits Poèmes en prose* paraissent en édition posthume (1869).

CHÉNIER André : il est né en 1762 à Constantinople où son père était diplomate. Arrivé en France en 1765, il fait ses études au Collège de Navarre où il se fait des amis qui lui permettent de fréquenter l'aristocratie. Au contact des artistes reçus dans le salon de sa mère, qui se prétend d'origine grecque, il s'affirme comme poète et manifeste un véritable culte pour la Grèce antique (*Bucoliques*, 1785-1787, *Élégies*, 1785-1789). Après une brève tentative dans le métier des armes à Strasbourg (1782-1783) et des voyages en Suisse et en Italie (1787-1791), il devient secrétaire d'ambassade à Londres, où il se sent comme exilé. De retour à Paris, il crée avec ses amis *La Société de 1789* pour « définir et propager les principes d'une Constitution libre ». Il écrit alors divers articles et pamphlets contre les Jacobins dans les journaux. Il conteste la compétence de l'Assemblée dans le procès du roi Louis XVI (1793), ce qui lui vaut d'être mis au rang des suspects et incarcéré à Saint-Lazare. Il est guillotiné le 25 juillet 1794.

CORBIÈRE Tristan : Fils d'un navigateur et écrivain célèbre, Édouard Corbière est né en 1845 près de Morlaix. Laid, rachitique, presque difforme, il vit à Roscoff une adolescence vagabonde et solitaire, nourrie de lectures (Villon, Musset, Hugo, Baudelaire). Sous le coup d'une passion sans espoir pour une actrice italienne, il part pour Paris où il mène une vie de bohème dorée. Son unique recueil, *Les Amours jaunes*, qu'il fait publier en 1873 et pour lequel il prend le prénom éminemment symbolique de Tristan, est un échec. En 1875, sa mère le ramène, atteint de phtisie, en Bretagne, où il meurt à peine âgé de trente ans. Sensibles à son originalité poétique, faite de violence novatrice et de dérision, les surréalistes verront en Corbière, révélé par Verlaine en 1883, l'un de leurs précurseurs.

CORNEILLE Pierre : il est né à Rouen en 1606 dans une famille de magistrats. Après des études chez les jésuites, il se détourne de la carrière juridique pour se consacrer à l'écriture dramatique. Le triomphe du *Cid* (1637) en fait le maître du théâtre classique français. Ses pièces jouées par la troupe de l'hôtel de Bourgogne obtiennent de vifs succès. Élu à l'Académie française (1647), il connaît par la suite plusieurs échecs retentissants : un jeune rival ambitieux, Jean Racine, lui fait une sévère concurrence côté scène comme côté cœur (*Stances à Marquise*, 1658). Malgré le soutien de Louis XIV, Corneille se retire définitivement de la vie théâtrale en 1674. Il meurt à Paris en 1684.

CROS Charles : il est né en 1842 dans l'Aude. Sa carrière de savant et de poète érudit est traversée d'échecs douloureux : il invente le premier phonographe qu'il présente à l'Académie des Sciences en 1877 dans l'indifférence générale ; huit mois plus tard, c'est l'Américain Edison qui en tirera toute la gloire ! (aujourd'hui le prix de l'Académie Charles Cros qui récompense les meilleurs disques de l'année semble

« réparer » cette injustice). Bien que ses talents d'amuseur méridional assurent sa réputation dans les milieux à la mode – il fréquente Verlaine, Rimbaud, Villiers de l'Isle-Adam, Manet –, ses poèmes (*Le coffret de santal*, 1873) passent inaperçus. Comme tant d'autres, il cherche dans l'absinthe l'oubli des vicissitudes quotidiennes ; il meurt dans la misère à Paris en 1888. C'est seulement après 1920 que son œuvre poétique (*Le collier de griffes*, publié en 1908) est réhabilitée par les surréalistes.

DESBORDES-VALMORE Marceline : elle est née à Douai en 1786. Elle affirme très tôt ses dons d'artiste : cantatrice puis comédienne, elle connaît le succès au théâtre de la Monnaie à Bruxelles. En 1817, elle épouse Valmore, un acteur de second rang auprès de qui elle mène une vie errante. À partir de 1819, elle publie des poésies que viendra consacrer une préface de Sainte-Beuve (1842). Passion pour l'amant de cœur (Henri de Latouche), tendresse pour ses enfants, souvenirs mélancoliques, mais aussi pitié pour les opprimés (*Pauvres Fleurs*, recueil inspiré par la révolte des canuts à Lyon, 1831) : son lyrisme marque le mouvement romantique. Très éprouvée par les deuils familiaux (mort de trois enfants) et la solitude, elle meurt à Paris en 1859.

DU BELLAY Joachim : il est né en 1522 au château de La Turmelière à Liré, près d'Angers, dans une illustre famille qui a fourni plusieurs « grands hommes » sous les règnes de François Ier et d'Henri II. Orphelin de bonne heure, c'est un enfant maladif et mélancolique. Il envisage une carrière diplomatique ou militaire, que sa surdité l'oblige à abandonner pour des études de droit à Poitiers. En 1546, il fait la connaissance de Ronsard qu'il accompagne à Paris, où il suit les leçons de l'humaniste Dorat au Collège de Coqueret. Il participe alors à la création de la « Brigade », première forme du fameux cercle poétique de la « Pléiade » (voir à RONSARD). En 1549, il publie coup sur coup divers poèmes (*L'Olive*) et sa *Défense et Illustration de la langue française* ; en 1553, il part pour l'Italie comme secrétaire de son oncle cardinal nommé ambassadeur à Rome. Son séjour de quatre ans nourrit son œuvre (*Les Antiquités de Rome*, 1558), mais le déçoit beaucoup (*Les Regrets*, 1558). Rentré à Paris, accablé par les difficultés familiales et la maladie, il meurt en 1560.

GAUTIER Théophile : né à Tarbes en 1811, il fait ses études au Collège Charlemagne à Paris où il se lie d'une très grande amitié avec Gérard de Nerval. D'abord attiré par la peinture, il rencontre Victor Hugo pour qui il gardera la plus vive admiration. Ardent partisan du romantisme, il se jette dans la « bataille » d'*Hernani* (voir à HUGO) avec son fameux « gilet rouge » ; « fils de la Grèce antique et de la Jeune France » (l'expression est de Hugo), il confirme le succès de ses premières poésies (1830) avec *Mademoiselle de Maupin* (roman, 1835). En 1836, il commence une carrière de journaliste pour assurer sa sécurité matérielle, mais poursuit son culte du Beau dans ses œuvres, nourries des impressions de ses nombreux voyages (Espagne, Orient, Russie). Révéré comme le maître d'un Art formel qui exalte la gratuité précieuse d'une écriture « travaillée » au détriment de l'émotion (*Émaux et Camées*, 1852), devenu le chef de file du mouvement « parnassien », auteur de nombreux romans et nouvelles historiques et fantastiques (*Le Roman de la momie*, 1858), il reste pourtant méconnu du grand public, sans être pour autant admis à la prestigieuse Académie française. Il meurt à Neuilly en 1872.

HEREDIA (de) José Maria : né à La Fortuna, près de Santiago de Cuba en 1842, fils d'un descendant des conquistadors et d'une Française, il est élevé en France dans le goût de la littérature française et de la culture hispanique. À l'École des Chartes (1862-1865), il acquiert une grande érudition historique, essentielle pour son œuvre future. Il participe dès 1860 aux débuts du mouvement des poètes parnassiens et Leconte de Lisle l'associe au *Parnasse contemporain* (1866), édition d'un « recueil de vers nouveaux » intitulé ainsi en souvenir du mont de Grèce qui passe pour le séjour mythique des Muses. Son unique œuvre poétique, *Les Trophées* (1893), reçoit un accueil triomphal qui lui vaut d'être élu à l'Académie française en 1894. Devenu conservateur de la Bibliothèque de l'Arsenal (1901), il meurt en 1905 près de Houdan.

HUGO Victor : il est né à Besançon en 1802. Sa famille s'installe à Paris dans l'ancien couvent des Feuillantines. Tout en préparant des études scientifiques au lycée Louis-le-Grand, il s'adonne déjà à la poésie ; il obtient ses premiers succès avec les *Odes et Poésies diverses* (1822) et s'impose comme chef de file du mouvement romantique après l'ardente « bataille » autour de son drame *Hernani* (1830). En 1833, débute sa liaison avec Juliette Drouet : elle durera jusqu'à la mort de celle-ci (1883). Alors que sa réputation ne cesse de croître (*Ruy Blas*, drame donné en 1838, *Les Rayons et les Ombres*, 1840), il traverse une épreuve terrible : la mort de sa fille Léopoldine (4 septembre 1843). Il se tourne alors vers la politique, dans le camp des « libéraux », mais le coup d'État de Napoléon III (2 décembre 1852) le contraint à un long exil de dix-huit ans. Réfugié à Guernesey, il devient alors une « légende vivante » qui multiplie les chefs-d'œuvre : *Les Châtiments* (1853), *Les Contemplations* (1856), *Les Misérables* (roman, 1859), *La Légende des siècles* (1859-1883), entre autres. Son retour en France est triomphalement accueilli après la chute du Second Empire (1870). Malgré les deuils et la vieillesse, il ne cesse d'écrire (*Quatre-vingt-treize*, roman, 1874, *L'Art d'être grand-père*, 1877, *La Fin de Satan*, posthume) jusqu'à sa mort en 1885 à Paris, suivie de monumentales funérailles nationales au Panthéon.

LABÉ Louise : elle est née en 1526 (ou 24 ?) dans le milieu aisé des artisans lyonnais, où elle épouse le riche cordier Ennemond Perrin. Belle, cultivée, la « belle Cordière » choque ses contemporains par sa conduite jugée « trop libre » (elle monte à cheval et participe à des tournois). Influencée par Pétrarque et par les représentants de l'« école lyonnaise », comme Maurice Scève, son œuvre poétique (trois élégies et vingt-quatre sonnets parus en 1555) exprime les plaisirs et tourments de l'amour sur un ton personnel très original. Elle compose son *Débat de Folie et Amour* pour un cercle mondain et lettré qu'elle anime dans son hôtel particulier. Elle meurt vers 1565.

LA FONTAINE (de) Jean : il est né en 1621 à Château-Thierry, où son père est maître des Eaux et Forêts. Après des études marquées par l'influence janséniste, il vient à Paris (1645), où il étudie le droit et fréquente les milieux littéraires. Devenu avocat au Parlement, il traverse de graves difficultés financières et succède à son père dans les Eaux et Forêts en 1652. La chute du surintendant royal Fouquet, qui l'avait pris sous sa protection, entraîne sa disgrâce et un « exil » momentané en Limousin. De retour à Paris, il entre au service de la duchesse douairière d'Orléans (1664), menant alors une vie mondaine et littéraire brillante (*Contes*, 1665, premières *Fables*, 1668). Auprès de Madame de la Sablière, il rencontre les grands auteurs de son temps. En 1675 ses *Nouveaux Contes*, jugés trop licencieux, sont interdits de publication ; cependant, il est élu à l'Académie française en 1683. La suite de ses *Fables* paraît en 1679, les dernières en 1693. Frappé par la maladie en 1692, il se convertit et s'adonne alors à la poésie religieuse. Il meurt à Paris en 1695.

LAFORGUE Jules : il est né en 1860 à Montevideo (Uruguay), où son père est instituteur. Arrivé en France à six ans, il fait des études médiocres au lycée Condorcet. Grand admirateur de Mallarmé, il fréquente Charles Cros et les poètes qui se proclament « décadents » ; ayant obtenu le poste de lecteur auprès de l'impératrice Augusta d'Allemagne, il demeure à Berlin de 1881 à 1886. Mais ses voyages ne lui apportent que l'ennui d'un mal de vivre proche du spleen. Son pessimisme fondamental perce dans la fantaisie légère d'une apparente désinvolture (*Les Complaintes*, 1885, *L'Imitation de Notre-Dame la Lune*, 1886). Rentré à Paris, il meurt de la tuberculose en 1887.

LAMARTINE (de) Alphonse : né à Mâcon dans une famille catholique et royaliste, il vit à partir de 1797 dans la propriété paternelle du village de Milly. Après de solides études chez les jésuites et une longue période d'oisiveté aristocratique sous l'Empire, où il voyage en Italie (1811-1812), il affirme une vocation poétique en partie inspirée par sa rencontre avec Madame Charles qui devient son Elvire des *Méditations poétiques* (1820). Son succès littéraire (élection à l'Académie française en 1829) se double rapidement d'une carrière diplomatique qui ouvre un itinéraire politique ambitieux : tout en poursuivant ses publications (*Harmonies poétiques et religieuses*, 1830, *Jocelyn*, 1836, *Recueillements poétiques*, 1839), il est élu successivement conseiller général, député, ministre, et brigue la présidence de la République en décembre 1848 : ses 17 910 voix sont un cuisant échec face aux cinq millions et demi de votes pour le futur Napoléon III ! Lourdement endetté, il se condamne aux « travaux forcés littéraires » et publie toutes sortes de compilations historiques, politiques et littéraires. Ruiné malgré la vente de Milly (*La Vigne et la Maison*, 1856-1857), il meurt à Paris en 1869, le crucifix d'« Elvire » à son chevet.

LECONTE DE LISLE : Charles Marie Leconte dit Leconte de Lisle est né à Saint-Paul dans l'île Bourbon (aujourd'hui la Réunion) en 1818. Venu étudier en France métropolitaine, il n'y séjournera plus qu'à deux reprises (1828-1837 et 1843-1845), mais en gardera le goût du dépaysement exotique. Partisan actif du mouvement révolutionnaire de 1848, il milite pour les idées socialistes et contre l'esclavage ; cependant, battu aux élections, amèrement déçu, il abandonne la politique pour se consacrer à l'Antiquité (il traduit Homère, Hésiode, les auteurs tragiques grecs) et à la poésie : ses grands recueils (*Poèmes antiques*, 1852, *Poèmes barbares*, 1862, *Poèmes tragiques*, 1884) l'imposent comme maître de l'école du Parnasse. En 1886, il succède à l'Académie française au fauteuil de Victor Hugo dont il avait été l'un des disciples. Il meurt en 1894 à Louveciennes.

MALHERBE (de) François : il est né en 1555 à Caen dans une famille noble protestante. En désaccord religieux avec les siens, il quitte la Normandie pour se mettre au service du duc d'Angoulême, fils naturel du roi Henri II, nommé gouverneur de Provence ; Malherbe le suit à Aix où il va rester vingt ans. Après une vie ordinaire, il commence à se faire connaître par quelques poèmes, dont sa fameuse *Consolation* à son ami du Périer (1598-1599). En 1605, il est reçu à Paris par Henri IV qui lui commande une œuvre pour célébrer ses campagnes. Gentilhomme ordinaire de la Chambre, pensionné comme poète courtisan, il compose des œuvres de circonstance, quelques poèmes d'amour et traduit le philosophe latin Sénèque. Reconnu comme une autorité littéraire, il meurt à Paris en 1628, après avoir eu la douleur de perdre son fils dans un duel (1627).

MALLARMÉ Stéphane : né à Paris en 1842, il perd très tôt sa mère et sa sœur, ce qui provoque en lui une obsession de la mort sensible dans toute son œuvre. Au lycée de Sens où il achève ses études, il découvre Baudelaire et Edgar Poe avec enthousiasme ; il écrit ses premiers vers. Il part pour l'Angleterre (1862), où il se marie. À son retour en France, il devient professeur d'anglais (à Tournon, Besançon, Avignon et enfin à Paris à partir de 1871) : « chahuté » par ses élèves, il se plaindra toute sa vie de ce métier qui absorbe son temps et son énergie ! En quête d'un absolu poétique qui l'arrache à une vie morne, il souffre d'une grave crise existentielle. Après avoir fréquenté les cercles parnassiens, il est révélé au public par Verlaine (*Les Poètes maudits*, 1883) et Huysmans (*À rebours*, 1884) : ses *Poésies* sont publiées en 1887 dans *La Revue indépendante*. Les poètes symbolistes font alors de lui leur chef de file et prennent l'habitude de se réunir dans son salon parisien de la rue de Rome tous les mardis (on y rencontre aussi bien Laforgue, Valéry, Gide, Claudel qu'Oscar Wilde). Il meurt en 1898 dans sa propriété de Valvins (Seine-et-Marne), tandis qu'il travaille sur le drame lyrique d'*Hérodiade*, qui restera à l'état de fragments.

MARBEUF (de) Pierre : fils du seigneur d'Imare et de Sahurs, celui qu'on appelle le Chevalier de Marbeuf est né en 1596 près de Pont-de-l'Arche, dans l'Eure. Après des études à La Flèche, il étudie le droit à Orléans et publie dès 1618 des poèmes divers, dont certains d'inspiration religieuse. Revenu à Pont-de-l'Arche, il se consacre aux Eaux et Forêts et à l'écriture poétique : une édition complète de ses *Œuvres* est publiée en 1629. Il meurt en 1645.

MAROT Clément : il est né à Cahors en 1496. C'est à Paris où son père, poète, a été nommé secrétaire à la Cour (1505), qu'il fait ses premiers essais poétiques dès 1514. En 1519, il entre au service de Marguerite d'Angoulême (reine de Navarre en 1527), sœur du roi François Ier, princesse brillante et cultivée. Poète courtisan, Marot compose une œuvre très abondante : épîtres, complaintes, épitaphes, ballades, rondeaux et chansons sont regroupés dans *L'Adolescence clémentine*. Cependant, accusé de sympathie pour la Réforme, il est emprisonné deux fois et libéré grâce à l'intervention du roi (1527). En 1534, il doit se réfugier auprès de Marguerite en Navarre, puis en Italie ; il rentre en France en 1536 et retrouve la faveur de la Cour après avoir abjuré l'« erreur luthérienne ». Mais ses œuvres jugées subversives au plan religieux (*Psaumes, L'Enfer*) l'obligent à fuir une nouvelle fois : il part à Genève où il est accueilli par Calvin (1542). Il meurt à Turin en 1544.

MUSSET (de) Alfred : il est né à Paris en 1810 dans une famille aisée et cultivée. Après de brillantes études au lycée Henri IV, il fréquente les poètes « nouveaux » qui admirent la virtuosité de ses *Contes d'Espagne et d'Italie* (1830). Enfant terrible du romantisme, menant une vie de dandy débauché, il s'oriente d'abord vers le théâtre (*Les Caprices de Marianne*, 1833). Sa liaison aussi passionnée que tourmentée avec George Sand (1833-1835) donne à son génie une forme de maturité douloureuse ; de l'épreuve de l'amour trahi naissent ses chefs-d'œuvre : le drame de *Lorenzaccio* (1834), le roman quasi autobiographique de *La Confession d'un enfant du siècle* (1836), les quatre poèmes des *Nuits* (1835-1837). Épuisé physiquement et moralement, malgré quelques succès au théâtre (*Il faut qu'une porte soit ouverte ou fermée*, 1845) et son élection à l'Académie française (1852), il décline lentement dans la solitude. Il meurt en 1857.

NERVAL (de) Gérard : né à Paris en 1808, Gérard Labrunie perd sa mère très tôt. Élevé à Mortefontaine au « clos de Nerval », la propriété d'un grand-oncle dont il tire son nom de plume, il découvre le Valois (château de Mortefontaine, forêt d'Ermenonville), qui deviendra le décor rêvé de ses œuvres (*Les Filles du feu*, 1854). Au Collège Charlemagne, il se lie d'amitié avec Théophile Gautier ; en 1828, sa traduction du *Faust* de Goethe (1806) lui vaut les félicitations du célèbre écrivain allemand. Après la bataille d'*Hernani* (voir à HUGO), il fait partie des « Jeune France ». Il s'éprend de la comédienne Jenny Colon (1834). Atteint de troubles mentaux dès 1841, il voyage beaucoup, en Europe, puis en Orient (1843), cherchant dans le rêve et l'exotisme un remède à ses angoisses (*Voyage en Orient*, 1851). Vivant de petits métiers dans l'édition, il est repris par ses crises de démence, d'où des séjours répétés dans la clinique du docteur Blanche à Passy. On le retrouve pendu à une grille d'une rue parisienne, le 26 janvier 1855, alors que commence la publication de son ultime nouvelle *Aurélia*.

ORLÉANS (d') Charles : né en 1394 à Paris, il est fils de Louis d'Orléans, frère du roi de France Charles VI. Projeté sur la scène politique dès l'âge de treize ans, après l'assassinat de son père par Jean sans Peur (1407), il est impliqué dans les intrigues qui opposent les maisons de Bourgogne, d'Armagnac et le roi. Devenu chef du parti armagnac, il est fait prisonnier par les Anglais à la bataille d'Azincourt (1415) et emmené en Angleterre où il reste jusqu'en 1440. Pendant sa captivité, il perd sa deuxième femme Bonne d'Armagnac. L'écriture poétique qu'il avait pratiquée dans sa jeunesse comme un agréable passe-temps de cour devient alors pour lui une consolation. De retour en France, il finit par abandonner les luttes politiques et se retire à Blois où il organise des concours poétiques, comme celui de la ballade *Je meurs de soif auprès de la fontaine*, premier vers sur lequel chacun des familiers de la cour doit composer son propre poème (François Villon lui-même y participe). Il meurt en 1465 à Amboise ; son fils Louis deviendra le roi Louis XII en 1498.

PISAN (de) Christine : née à Venise vers 1364, elle est la fille d'un astrologue italien, Tommaso di Benvenuto da Pizzano, conseiller du roi de France Charles V (1338-1380). Elle vit à la Cour avant d'épouser un notaire royal, Étienne de Castel, qui meurt prématurément en 1389. Veuve à vingt-cinq ans avec trois jeunes enfants, Christine dite « de Pisan » doit vivre de sa plume : elle compose de très nombreuses œuvres de commande, comme des écrits politiques, moraux et religieux (*Le Livre des faits du sage roi Charles V, La Cité des Dames*), mais aussi des pièces plus personnelles où elle exprime les peines de son existence. Elle est également l'auteur d'un poème célébrant Jeanne d'Arc et Charles VII (*Ditié de Jeanne d'Arc*, 1429). Elle meurt vers 1431.

RIMBAUD Arthur : il est né à Charleville en 1854. Élève brillant (il se distingue dans les compositions en vers latins), il est encouragé dans ses premiers essais poétiques par son professeur de rhétorique. Son caractère emporté supporte mal les contraintes familiales et provinciales : après plusieurs fugues, le petit prodige, remarqué pour son *Bateau ivre*, « débarque » à Paris, à l'invitation de Verlaine (1871). Leur liaison tumultueuse tourne au drame : blessé par son « ami » qu'il voulait quitter (voir à VERLAINE), il éprouve la douleur d'un rêve brisé dont *Une saison en enfer* (1873) porte le bouleversant témoignage. Il vagabonde en solitaire et rédige plusieurs poèmes en prose (*Illuminations*, 1874-1876), puis il s'embarque pour Aden (1880). Pendant dix ans, il erre encore dans le désert, d'Éthiopie en Égypte, ayant complètement cessé d'écrire et se livrant à toutes sortes de trafics. Rapatrié en France pour se faire soigner d'une tumeur au genou, il est amputé d'une jambe à Marseille où il meurt peu après, en 1891.

RONSARD (de) Pierre : il est né en 1524 dans le château familial de la Possonnière, près de Vendôme. Élevé dans le culte des arts et lettres, il fait un court séjour au Collège de Navarre à Paris et découvre la vie de Cour en devenant page de Charles d'Orléans, fils de François Ier. Mais à l'âge de seize ans, il est atteint d'une surdité qui l'écarte de la carrière diplomatique ou militaire traditionnelle. Il reçoit alors la tonsure, ce qui lui permet de vivre des bénéfices des charges ecclésiastiques qui lui sont confiées. Sa rencontre avec Du Bellay (1546) confirme sa vocation poétique et il suit avec lui les leçons de Dorat au Collège Coqueret (voir à DU BELLAY). Devenu chef de file du mouvement de la « Pléiade » (nom donné en souvenir des sept poètes alexandrins qui s'étaient réunis sous le signe de cette constellation au IIIe siècle avant J.-C.), il partage sa vie entre les fêtes de la Cour à Paris et le calme de la Touraine. Il accumule les recueils poétiques, dont les célèbres *Amours* (1578). À partir de 1560, il n'hésite pas à s'exprimer sur les affaires de l'État et les guerres religieuses (*Discours des misères de ce temps*, 1562), prenant parti pour la cause catholique. Avec *La Franciade* (1572), il compose son épopée nationale, à l'imitation de l'*Énéide* de Virgile. Malade, il se retire dans son prieuré près de Tours où il meurt en 1585.

RUTEBEUF : on ne possède pratiquement aucun renseignement précis sur Rutebeuf (il a vécu sous les règnes de Saint Louis et de Philippe III le Hardi), en dehors des confidences du poète lui-même dans ses œuvres. Vraisemblablement d'origine champenoise, il arrive très tôt à Paris où il fréquente les clercs et prend parti dans les affaires de l'époque (querelle entre l'Université de Paris et les ordres mendiants à partir de 1253). Il dispose d'une solide culture, mais les vicissitudes de la vie le conduisent à la misère : pour survivre, il pratique le métier de bateleur et compte sur la protection du roi Saint Louis et de son frère Alphonse, comte de Poitiers. Sa carrière poétique s'étend de 1248 à 1272 ; il touche à tous les genres : complaintes (*Povreté Rutebeuf, Mariage Rutebeuf,*

Complainte Rutebeuf), satires (*Discorde de l'Université et des Jacobins, Dit d'Hypocrisie*), fabliaux (*Frère Denise*), drames religieux (le *Miracle de Théophile*). Il meurt vers 1285.

SULLY PRUDHOMME : René Prudhomme dit Sully Prudhomme est né à Paris en 1839. D'abord ingénieur au Creusot, il décide rapidement de se consacrer à la poésie : *Stances et poèmes* (1865), *Solitudes* (1869) et succès immédiat pour le *Vase brisé*. Il collabore au Parnasse avec un souci de la perfection formelle proche de celui de Leconte de Lisle. Cependant, sa poésie, de plus en plus « philosophique », est gagnée par une forme de verbalisme précieux, lourdement didactique (*La Justice*, 1878, *Le Bonheur*, 1888). Élu à l'Académie française en 1881, il reçoit le premier prix Nobel de littérature en 1901. Il meurt à Châtenay-Malabry en 1907.

VERLAINE Paul : il est né à Metz en 1844. Après des études au lycée Condorcet à Paris, il devient fonctionnaire municipal à l'Hôtel de Ville et consacre tout son temps libre à la poésie : *Poèmes saturniens* (1866) et *Fêtes galantes* (1869) lui apportent la notoriété. Son mariage avec la jeune et douce Mathilde (1870) n'est qu'une brève parenthèse apaisante dans une vie de bohème agitée ; pendant le siège de la Commune, il se remet à boire et finit par abandonner sa femme pour vivre une folle aventure avec Arthur Rimbaud qu'il a rencontré en septembre 1871 (*Romances sans paroles*, 1874). Après un séjour en Angleterre, la liaison s'achève dans la violence en Belgique : Verlaine, ivre, tire sur Rimbaud, qui n'est que blessé, en juillet 1873 ; après deux ans de prison, malgré une éphémère conversion morale et mystique (*Sagesse*, 1881), il sombre dans l'alcool et la déchéance. Ses derniers poèmes (*Jadis et naguère*, 1884) traduisent un permanent déchirement entre les impossibles résolutions et les rechutes dans le vice. Il meurt dans le dénuement en 1896.

VIGNY (de) Alfred : il est né à Loches en 1797. Héritier d'une lignée aristocratique de soldats et de marins, il prépare une carrière militaire sous la Restauration. Mais, pour tromper l'ennui d'une vie monotone en garnison, il fréquente les cercles poétiques où il lit ses premières œuvres en 1822. Il se marie, quitte l'armée et décide de se consacrer à la littérature : *Cinq-Mars* (roman, 1826), *Poèmes antiques et modernes* (1826), *Chatterton* (drame, 1835), *Servitude et grandeur militaires* (récits, 1835). Consterné par la révolution de Juillet 1830, il traverse diverses crises affectives, dont une liaison tourmentée avec l'actrice Marie Dorval, et son écriture se fait de plus en plus pessimiste. Il mène « une vie d'ermite » tantôt en Charente, tantôt à Paris où il revient préparer ses grands poèmes philosophiques et moraux qui paraîtront après sa mort (*Les Destinées*, 1864). Il entre à l'Académie française en 1845. Favorable à la révolution de 1848, il subit une défaite cinglante aux élections. Consignant jusqu'au bout ses réflexions dans son *Journal d'un poète* (publié en 1867), il meurt à Paris en 1863.

VILLON François : la vie de François de Montcorbier ou François des Loges, né à Paris en 1431, reste des plus énigmatiques. Il est élévé par le chapelain Guillaume de Villon dont il prend le nom. Il suit les cours de l'Université et devient maître ès arts en 1452. En digne émule des étudiants de son temps (les goliards), il mène joyeuse vie, multipliant démêlés avec la justice et séjours en prison : meurtre d'un prêtre (1455), vol avec effraction au Collège de Navarre (1456), conflit avec l'évêque d'Orléans (1461). Il compose le *Lais* (legs), sorte de testament bouffon où il invente des héritages poétiques de fantaisie et séjourne un moment à la cour de Charles d'Orléans à Blois (voir à ORLÉANS). Son *Testament* constitue une œuvre plus intime et plus sombre où il semble faire ses adieux au monde en distribuant des messages souvent satiriques. Après sa condamnation à mort et sa grâce inespérée en janvier 1463, il est banni pour dix ans. Il disparaît alors sans laisser aucune trace.

Composez votre bouquet

Voici quelques vers parmi les plus célèbres, « cueillis » dans les poèmes de ce recueil et réunis en une sorte de promenade menée au gré du hasard de leurs « correspondances », syntaxiques ou autres... Avec l'espoir que ces illustres jardiniers de la poésie française dont l'art s'est souvent enrichi aux détours de l'humour pardonnent un procédé quelque peu irrévérencieux au bénéfice d'une modeste fantaisie.

À vous de rendre ces fleurs « immortelles » à leur créateur et à leur poème d'origine.

1 Dedans Paris, ville jolie,
2 Il était un grand mur blanc – nu, nu, nu,
3 L'œil était dans la tombe et regardait Caïn :
4 Il voulait tout savoir mais il n'a rien connu.
5 Mais où sont les neiges d'antan ?
6 C'est un trou de verdure où chante une rivière,
7 Là, tout n'est qu'ordre et beauté,
Luxe, calme et volupté.
8 Quand le ciel bas et lourd pèse comme un couvercle,
9 Je fais souvent ce rêve étrange et pénétrant :
10 Je vis, je meurs ; je me brûle et me noie,
11 Et la lune a, bonne vieille,
Du coton dans les oreilles,
12 La lune
Comme un point sur un i,
13 Cette faucille d'or dans le champ des étoiles.
14 Il pleure dans mon coeur,
15 Je suis le ténébreux, – le veuf, – l'inconsolé,
16 Le seul bien qui me reste en ce monde
Est d'avoir quelquefois pleuré.
17 Mais, vrai, j'ai trop pleuré ! Les Aubes sont navrantes,
18 La chair est triste, hélas ! Et j'ai lu tous les livres,
19 Je ne sais comment je dure,
20 Je ne sais plus quand, je ne sais plus où,
Maître Yvon soufflait dans son biniou

21 Et j'ai cru voir la fée au chapeau de clarté.
22 J'aime d'un fol amour les monts fiers et sublimes,
23 Le vierge, le vivace et le bel aujourd'hui,
24 Les chats puissants et doux, orgueil de la maison ;
25 J'aime le son du Cor, le soir, au fond des bois,
26 Les sanglots longs
Des violons
De l'automne,
27 Les plus désespérés sont les chants les plus beaux,
28 Silences traversés des Mondes et des Anges :
29 De la musique avant toute chose !
30 Demain, dès l'aube, à l'heure où blanchit la campagne,
31 Nous aurons des lits pleins d'odeurs légères,
32 Quand vous serez bien vieille, au soir à la chandelle,
33 Souvenez-vous qu'à mon âge
Vous ne vaudrez guère mieux,
34 Aboli bibelot d'inanité sonore !
35 Mais viendra le jour des adieux...
36 Comme un vol de gerfauts hors du charnier natal,
37 Le temps a laissé son manteau :
38 Ô Temps, suspends ton vol ! et vous heures propices,
Suspendez votre cours !
39 La raison du plus fort est toujours la meilleure :
40 Gémir, pleurer, prier est également lâche,
41 Eh bien ! dansez maintenant !
42 Mais priez Dieu que tous nous veuille absoudre !
43 Cueillez, cueillez votre jeunesse,
44 Dis, qu'as-tu fait, toi que voilà,
De ta jeunesse ?
45 Va vite, léger peigneur de comètes !
46 J'ai voulu ce matin te rapporter des roses :
47 Il est des parfums frais comme des chairs d'enfants ;
48 Comme on voit sur la branche au mois de mai la rose,
49 Chaque fleur s'évapore ainsi qu'un encensoir :
50 Et rose elle a vécu ce que vivent les roses,
L'espace d'un matin.
51 Heureux qui, comme Ulysse, a fait un beau voyage,
52 Homme libre, toujours tu chériras la mer !
53 La mer sans fin commence où la terre finit,
54 Et la mer est amère, et l'amour est amer :

55 Oh ! là ! là ! Que d'amours splendides j'ai rêvées !
56 Oh ! Combien de marins, combien de capitaines,
57 Que sont mes amis devenus ?
58 « Ils sont trop verts, dit-il, et bons pour des goujats »
59 Un seul être vous manque, et tout est dépeuplé...
60 Elle a vécu, Myrto, la jeune Tarentine,
61 Elle avait pris ce pli dans son âge enfantin.
62 Ce siècle avait deux ans ! Rome remplaçait Sparte,
63 Dans l'air lourd, immobile et saturé de mouches,
64 Le bonheur passait, – il a fui !
65 Ses ailes de géant l'empêchent de marcher,
66 Tel qu'en Lui-même enfin l'éternité le change.

Solution

1 – p. 21 ; 2 – p. 89 ; 3 – p. 56 ; 4 – p. 64 ; 5 – p. 17 ; 6 – p. 103 ; 7 – p. 83 ; 8 – p. 81 ; 9 – p. 99 ; 10 – p. 29 ; 11 – p. 109 ; 12 – p. 65 ; 13 – p. 58 ; 14 – p. 100 ; 15 – p. 62 ; 16 – p. 71 ; 17 – p. 105 ; 18 – p. 92 ; 19 – p. 15 ; 20 – p. 60 ; 21 – p. 91 ; 22 – p. 73 ; 23 – p. 93 ; 24 – p. 80 ; 25 – p. 47 ; 26 – p. 98 ; 27 – p. 69 ; 28 – p. 107 ; 29 – p. 97 ; 30 – p. 53 ; 31 – p. 84 ; 32 – p. 27 ; 33 – p. 35 ; 34 – p. 94 ; 35 – p. 85 ; 36 – p. 86 ; 37 – p. 16 ; 38 – p. 44 ; 39 – p. 38 ;40 – p. 50 ; 41 – p. 38 ; 42 – p. 19 ; 43 – p. 27 ; 44 – p. 100 ; 45 – p. 101 ; 46 – p. 42 ; 47 – p. 77 ; 48 – p. 28 ; 49 – p. 78 ; 50 – p. 32 ; 51 – p. 23 ; 52 – p. 79 ; 53 – p. 87 ; 54 – p. 33 ; 55 – p. 103 ; 56 – p. 58 ; 57 – p. 13 ; 58 – p. 39 ; 59 – p. 46 ; 60 – p. 40 ; 61 – p. 53 ; 62 – p. 51 ; 63 – p. 74 ; 64 – p. 64 ; 65 – p. 79 ; 66 – p. 95.

Table

Composition réalisée par COMPOFAC - PARIS

Achevé d'imprimer en janvier 2007 en France sur Presse Offset par

BRODARD & TAUPIN
GROUPE CPI

La Flèche (Sarthe).
N° d'imprimeur : 38382 – N° d'éditeur : 80007
Dépôt légal 1re publication : septembre 1998
Édition 09 – janvier 2007
LIBRAIRIE GÉNÉRALE FRANÇAISE – 31, rue de Fleurus – 75278 Paris cedex 06.

31/4501/8